Maths made easy

Key Stage 2
ages 7–11
Times Tables

Author and Consultant
Sean McArdle

London • New York • Munich • Melbourne • Delhi

Speed trials

Write the answers as fast as you can, but get them right!

4 x 10 = 40   8 x 2 = 16   6 x 5 = 30

Write the answers as fast as you can, but get them right!

3 x 2 =	0 x 5 =	3 x 10 =	0 x 3 =
5 x 2 =	10 x 5 =	5 x 10 =	10 x 3 =
1 x 2 =	8 x 5 =	1 x 10 =	8 x 3 =
4 x 2 =	6 x 5 =	4 x 10 =	6 x 3 =
7 x 2 =	2 x 5 =	7 x 10 =	2 x 3 =
2 x 2 =	7 x 5 =	2 x 10 =	7 x 3 =
6 x 2 =	4 x 5 =	6 x 10 =	4 x 3 =
8 x 2 =	1 x 5 =	8 x 10 =	1 x 3 =
10 x 2 =	5 x 5 =	10 x 10 =	5 x 3 =
0 x 2 =	3 x 5 =	0 x 10 =	3 x 3 =
9 x 2 =	5 x 3 =	9 x 10 =	6 x 4 =
2 x 7 =	5 x 8 =	10 x 7 =	3 x 4 =
2 x 1 =	5 x 6 =	10 x 1 =	7 x 4 =
2 x 4 =	5 x 9 =	10 x 4 =	4 x 4 =
3 x 7 =	5 x 7 =	10 x 7 =	10 x 4 =
2 x 5 =	5 x 4 =	10 x 5 =	8 x 4 =
2 x 9 =	5 x 1 =	10 x 9 =	0 x 4 =
2 x 6 =	4 x 7 =	10 x 6 =	9 x 4 =
2 x 8 =	5 x 10 =	10 x 8 =	5 x 4 =
2 x 3 =	5 x 2 =	10 x 3 =	2 x 4 =

All the 3s

You will need to know these:

$1 \times 3 = 3$ $2 \times 3 = 6$ $3 \times 3 = 9$ $4 \times 3 = 12$ $5 \times 3 = 15$ $10 \times 3 = 30$

How many altogether?

6 lots of three are ___ six threes are ___ $6 \times 3 =$ ___

How many altogether?

7 lots of three are ___ seven threes are ___ $7 \times 3 =$ ___

How many altogether?

      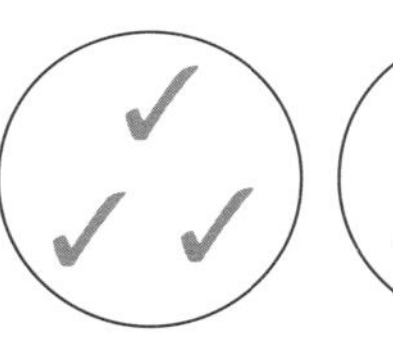 

8 lots of three are ___ eight threes are ___ $8 \times 3 =$ ___

How many altogether?

9 lots of three are ___ nine threes are ___ $9 \times 3 =$ ___

All the 3s again

You should know all of the three times table by now.

1 x 3 = 3	2 x 3 = 6	3 x 3 = 9	4 x 3 = 12	5 x 3 = 15
6 x 3 = 18	7 x 3 = 21	8 x 3 = 24	9 x 3 = 27	10 x 3 = 30

Say these through to yourself a few times.

Cover the three times table with a piece of paper so you can't see the numbers. Write the answers. Be as fast as you can, but get them right!

1 x 3 =	5 x 3 =	6 x 3 =
2 x 3 =	7 x 3 =	9 x 3 =
3 x 3 =	9 x 3 =	4 x 3 =
4 x 3 =	4 x 3 =	5 x 3 =
5 x 3 =	6 x 3 =	3 x 7 =
6 x 3 =	8 x 3 =	3 x 4 =
7 x 3 =	10 x 3 =	2 x 3 =
8 x 3 =	1 x 3 =	10 x 3 =
9 x 3 =	3 x 3 =	3 x 9 =
10 x 3 =	2 x 3 =	3 x 6 =
3 x 1 =	3 x 5 =	3 x 5 =
3 x 2 =	3 x 7 =	3 x 8 =
3 x 3 =	3 x 9 =	7 x 3 =
3 x 4 =	3 x 4 =	3 x 2 =
3 x 5 =	3 x 6 =	3 x 10 =
3 x 6 =	3 x 8 =	8 x 3 =
3 x 7 =	3 x 10 =	3 x 0 =
3 x 8 =	3 x 1 =	1 x 3 =
3 x 9 =	3 x 0 =	3 x 3 =
3 x 10 =	3 x 2 =	3 x 9 =

All the 4s

You should know these:

$1 \times 4 = 4$ $2 \times 4 = 8$ $3 \times 4 = 12$ $4 \times 4 = 16$ $5 \times 4 = 20$ $10 \times 4 = 40$

How many altogether?

  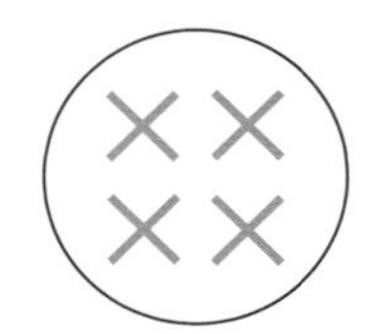   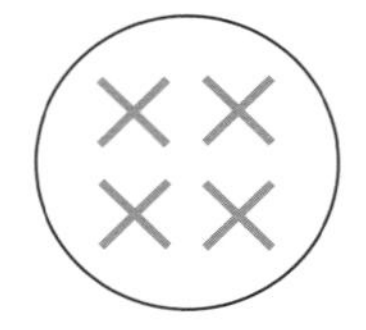

6 lots of four are ____ six fours are ____ $6 \times 4 =$ ____

How many altogether?

      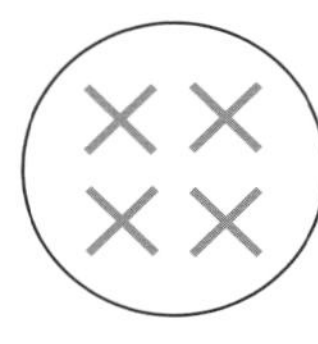

7 lots of four are ____ seven fours are ____ $7 \times 4 =$ ____

How many altogether?

   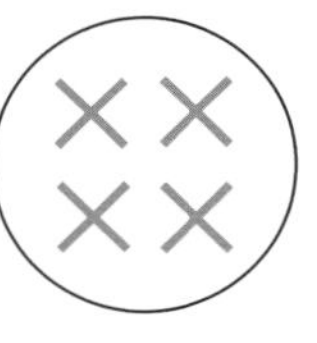 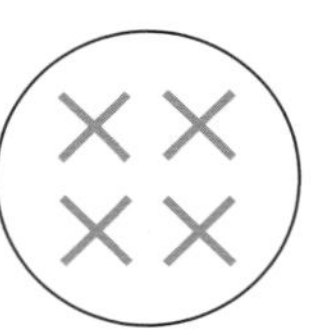 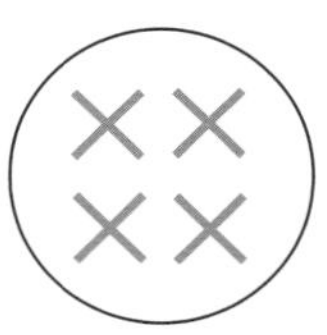  

8 lots of four are ____ eight fours are ____ $8 \times 4 =$ ____

How many altogether?

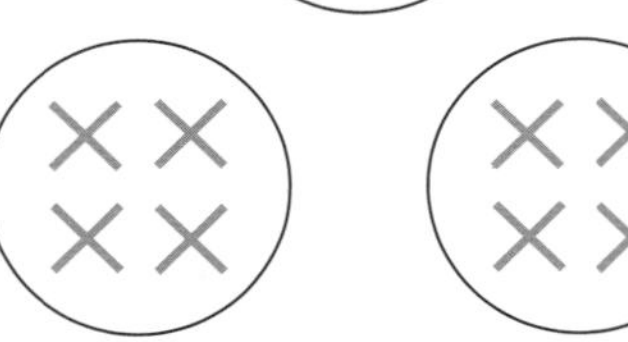 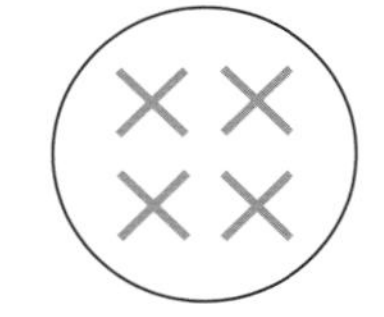   

9 lots of four are ____ nine fours are ____ $9 \times 4 =$ ____

All the 4s again

You should know all of the four times table by now.

1 x 4 = 4	2 x 4 = 8	3 x 4 = 12	4 x 4 = 16	5 x 4 = 20
6 x 4 = 24	7 x 4 = 28	8 x 4 = 32	9 x 4 = 36	10 x 4 = 40

Say these through to yourself a few times.

Cover the four times table with a piece of paper so you can't see the numbers. Write the answers. Be as fast as you can, but get them right!

1 x 4 =	5 x 4 =	6 x 4 =
2 x 4 =	7 x 4 =	9 x 4 =
3 x 4 =	9 x 4 =	4 x 1 =
4 x 4 =	3 x 4 =	5 x 4 =
5 x 4 =	6 x 4 =	4 x 7 =
6 x 4 =	8 x 4 =	3 x 4 =
7 x 4 =	10 x 4 =	2 x 4 =
8 x 4 =	1 x 4 =	10 x 4 =
9 x 4 =	4 x 4 =	4 x 3 =
10 x 4 =	2 x 4 =	4 x 6 =
4 x 1 =	4 x 5 =	4 x 5 =
4 x 2 =	4 x 7 =	4 x 8 =
4 x 3 =	4 x 9 =	7 x 4 =
4 x 4 =	4 x 4 =	4 x 2 =
4 x 5 =	4 x 6 =	4 x 10 =
4 x 6 =	4 x 8 =	8 x 4 =
4 x 7 =	4 x 10 =	4 x 0 =
4 x 8 =	4 x 1 =	1 x 4 =
4 x 9 =	4 x 0 =	4 x 4 =
4 x 10 =	4 x 2 =	4 x 9 =

Speed trials

You should know all of the 2, 3, 4, 5, and 10 times tables by now, but how quickly can you do them?
Ask someone to time you as you do this page.
Remember, you must be fast but also correct!

4 x 2 =
8 x 3 =
7 x 4 =
6 x 5 =
8 x 10 =
8 x 2 =
5 x 3 =
9 x 4 =
5 x 5 =
7 x 10 =
0 x 2 =
4 x 3 =
6 x 4 =
3 x 5 =
4 x 10 =
7 x 2 =
3 x 3 =
2 x 4 =
7 x 5 =
9 x 10 =

6 x 3 =
3 x 4 =
7 x 5 =
3 x 10 =
1 x 2 =
7 x 3 =
4 x 4 =
6 x 5 =
4 x 10 =
6 x 2 =
5 x 3 =
8 x 4 =
0 x 5 =
2 x 10 =
7 x 2 =
8 x 3 =
9 x 4 =
5 x 5 =
7 x 10 =
5 x 2 =

9 x 5 =
8 x 10 =
7 x 2 =
6 x 3 =
5 x 4 =
4 x 5 =
3 x 10 =
2 x 2 =
1 x 3 =
0 x 4 =
10 x 5 =
9 x 2 =
8 x 3 =
7 x 4 =
6 x 5 =
5 x 10 =
4 x 0 =
3 x 2 =
2 x 8 =
1 x 9 =

Some of the 6s

You should already know some of the 6 times table because they are part of the 2, 3, 4, 5, and 10 times tables.

1 x 6 = 6	2 x 6 = 12	3 x 6 = 18
4 x 6 = 24	5 x 6 = 30	10 x 6 = 60

Find out if you can remember them quickly and correctly.

Cover the six times table with some paper so you can't see the numbers.
Write the answers as quickly as you can.

What are three sixes?

What are ten sixes?

What are two sixes?

What are four sixes?

What is one six?

What are five sixes?

Write the answers as quickly as you can.

How many sixes are the same as 12?

How many sixes are the same as 6?

How many sixes are the same as 30?

How many sixes are the same as 18?

How many sixes are the same as 24?

How many sixes are the same as 60?

Write the answers as quickly as you can.

Multiply six by three.

Multiply six by ten.

Multiply six by two.

Multiply six by five.

Multiply six by one.

Multiply six by four.

Write the answers as quickly as you can.

4 x 6 =

2 x 6 =

10 x 6 =

5 x 6 =

1 x 6 =

3 x 6 =

Write the answers as quickly as you can.
A box contains six eggs. A man buys five boxes. How many eggs does he have?

A packet contains six sticks of gum.
How many sticks will there be in 10 packets?

The rest of the 6s

You need to learn these:

6 x 6 = 36　　7 x 6 = 42　　8 x 6 = 48　　9 x 6 = 54

This work will help you remember the 6 times table.

Complete these sequences.

6　12　18　24　30

5 x 6 = 30　so　6 x 6 = 30 plus another 6 =

18　24　30

6 x 6 = 36　so　7 x 6 = 36 plus another 6 =

6　12　18　　　　　48　　60

7 x 6 = 42　so　8 x 6 = 42 plus another 6 =

6　　18　24　30

8 x 6 = 48　so　9 x 6 = 48 plus another 6 =

　24　　42　　60

Test yourself on the rest of the 6 times table.
Cover the above part of the page with a piece of paper.

What are six sixes?　　What are seven sixes?

What are eight sixes?　　What are nine sixes?

8 x 6 = 　7 x 6 =　6 x 6 =　9 x 6 =

Practise the 6s

You should know all of the 6 times table now, but how quickly can you remember it?
Ask someone to time you as you do this page.
Remember, you must be fast but also correct!

1 x 6 =	2 x 6 =	7 x 6 =
2 x 6 =	4 x 6 =	3 x 6 =
3 x 6 =	6 x 6 =	9 x 6 =
4 x 6 =	8 x 6 =	6 x 4 =
5 x 6 =	10 x 6 =	1 x 6 =
6 x 6 =	1 x 6 =	6 x 2 =
7 x 6 =	3 x 6 =	6 x 8 =
8 x 6 =	5 x 6 =	0 x 6 =
9 x 6 =	7 x 6 =	6 x 3 =
10 x 6 =	9 x 6 =	5 x 6 =
6 x 1 =	6 x 3 =	6 x 7 =
6 x 2 =	6 x 5 =	2 x 6 =
6 x 3 =	6 x 7 =	6 x 9 =
6 x 4 =	6 x 9 =	4 x 6 =
6 x 5 =	6 x 2 =	8 x 6 =
6 x 6 =	6 x 4 =	10 x 6 =
6 x 7 =	6 x 6 =	6 x 5 =
6 x 8 =	6 x 8 =	6 x 0 =
6 x 9 =	6 x 10 =	6 x 1 =
6 x 10 =	6 x 0 =	6 x 6 =

Speed trials

You should know all of the 2, 3, 4, 5, 6, and 10 times tables by now,
but how quickly can you remember them?
Ask someone to time you as you do this page.
Remember, you must be fast but also correct!

4 x 6 =

5 x 3 =

7 x 3 =

6 x 5 =

6 x 10 =

8 x 2 =

5 x 3 =

9 x 6 =

5 x 5 =

7 x 6 =

0 x 2 =

6 x 3 =

6 x 6 =

3 x 5 =

4 x 10 =

7 x 10 =

3 x 6 =

2 x 4 =

6 x 9 =

9 x 10 =

6 x 3 =

8 x 6 =

6 x 6 =

3 x 10 =

6 x 2 =

7 x 3 =

4 x 6 =

6 x 5 =

6 x 10 =

6 x 2 =

5 x 3 =

8 x 4 =

0 x 6 =

5 x 10 =

7 x 6 =

8 x 3 =

9 x 6 =

5 x 5 =

7 x 10 =

5 x 6 =

9 x 6 =

8 x 6 =

7 x 3 =

6 x 6 =

5 x 4 =

4 x 6 =

3 x 6 =

2 x 6 =

6 x 3 =

0 x 6 =

10 x 5 =

6 x 2 =

8 x 3 =

7 x 6 =

6 x 5 =

5 x 10 =

6 x 0 =

3 x 10 =

2 x 8 =

1 x 8 =

Some of the 7s

You should already know some of the 7 times table because it is part of the 2, 3, 4, 5, 6, and 10 times tables.

1 x 7 = 7 2 x 7 = 14 3 x 7 = 21 4 x 7 = 28
5 x 7 = 35 6 x 7 = 42 10 x 7 = 70

Find out if you can remember them quickly and correctly.

Cover the seven times table with some paper and write the answers to these questions as quickly as you can.

What are three sevens? 21 ✗
What are two sevens? 14
What are six sevens? 46 ✗
What are ten sevens? 70
What are four sevens? 28
What are five sevens? 35

Write the answers as quickly as you can.

How many sevens are the same as 14? 2
How many sevens are the same as 35? 5
How many sevens are the same as 28? 4
How many sevens are the same as 42? 6
How many sevens are the same as 21? 3
How many sevens are the same as 70? 10

Write the answers as quickly as you can.

Multiply seven by three. 21
Multiply seven by two. 14
Multiply seven by six. 42
Multiply seven by ten. 70
Multiply seven by five. 35
Multiply seven by four. 28

Write the answers as quickly as you can.

4 x 7 = 28 2 x 7 = 14 10 x 7 = 70
5 x 7 = 35 1 x 7 = 7 3 x 7 = 21

Write the answers as quickly as you can.

A bag has seven sweets. Ann buys five bags. How many sweets does she have? 35

How many days are there in six weeks? 42

The rest of the 7s

You should now know all of the 2, 3, 4, 5, 6, and 10 times tables.

You only need to learn these parts of the seven times table.
$7 \times 7 = 49$ $8 \times 7 = 56$ $9 \times 7 = 63$

This work will help you remember the 7 times table.

Complete these sequences.

7 14 21 28 35 42 49 56 63 70

$6 \times 7 = 42$ so $7 \times 7 = 42$ plus another 7 = 49

21 28 35 42 49 56 63 70

$7 \times 7 = 49$ so $8 \times 7 = 49$ plus another 7 = 56

7 14 21 28 35 42 49 56 63 70

$8 \times 7 = 56$ so $9 \times 7 = 56$ plus another 7 = 63

7 14 21 28 35 42 49 56 63 70

Test yourself on the rest of the 7 times table.
Cover the section above with a piece of paper.

What are seven sevens? 49

What are eight sevens? 56

What are nine sevens? 63

What are ten sevens? 70

$8 \times 7 =$ 56 $7 \times 7 =$ 49 $9 \times 7 =$ 63 $10 \times 7 =$ 70

How many days are there in eight weeks? 56

A packet contains seven felt-tips.
How many felt-tips will there be in nine packets? 63

How many sevens make 56? 8

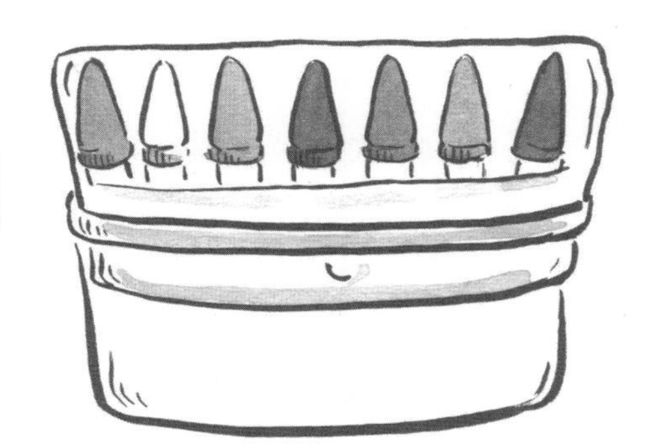

Practise the 7s

You should know all of the 7 times table now, but how quickly can you remember it?
Ask someone to time you as you do this page.
Remember, you must be fast but also correct!

1 x 7 =	7	2 x 7 =	14	7 x 6 =	42
2 x 7 =	14	4 x 7 =	28	3 x 7 =	21
3 x 7 =	21	6 x 7 =	42	9 x 7 =	63
4 x 7 =	28	8 x 7 =	56	7 x 4 =	28
5 x 7 =	35	10 x 7 =	70	1 x 7 =	7
6 x 7 =	42	1 x 7 =	7	7 x 2 =	14
7 x 7 =	49	3 x 7 =	21	7 x 8 =	56
8 x 7 =	56	5 x 7 =	35	0 x 7 =	0
9 x 7 =	63	7 x 7 =	49	7 x 3 =	21
10 x 7 =	70	9 x 7 =	63	5 x 7 =	35
7 x 1 =	7	7 x 3 =	21	7 x 7 =	49
7 x 2 =	14	7 x 5 =	35	2 x 7 =	14
7 x 3 =	21	7 x 7 =	49	7 x 9 =	63
7 x 4 =	28	7 x 9 =	63	4 x 7 =	28
7 x 5 =	35	7 x 2 =	14	8 x 7 =	56
7 x 6 =	42	7 x 4 =	28	10 x 7 =	70
7 x 7 =	49	7 x 6 =	42	7 x 5 =	35
7 x 8 =	56	7 x 8 =	56	7 x 0 =	6
7 x 9 =	63	7 x 10 =	70	7 x 1 =	7
7 x 10 =	70	7 x 0 =	0	6 x 7 =	42

Speed trials

You should know all of the 2, 3, 4, 5, 6, 7, and 10 times tables by now, but how quickly can you remember them?
Ask someone to time you as you do this page.
Remember, you must be fast but also correct!

4 x 7 =	7 x 3 =	9 x 7 =
5 x 10 =	8 x 7 =	7 x 6 =
7 x 5 =	6 x 6 =	8 x 3 =
6 x 5 =	5 x 10 =	6 x 6 =
6 x 10 =	6 x 3 =	7 x 4 =
8 x 7 =	7 x 5 =	4 x 6 =
5 x 8 =	4 x 6 =	3 x 7 =
9 x 6 =	6 x 5 =	2 x 8 =
5 x 7 =	7 x 10 =	7 x 3 =
7 x 6 =	6 x 7 =	0 x 6 =
0 x 5 =	5 x 7 =	10 x 7 =
6 x 3 =	8 x 4 =	6 x 2 =
6 x 7 =	0 x 7 =	8 x 7 =
3 x 5 =	5 x 8 =	7 x 7 =
4 x 7 =	7 x 6 =	6 x 5 =
7 x 10 =	8 x 3 =	5 x 10 =
7 x 8 =	9 x 6 =	7 x 0 =
2 x 7 =	7 x 7 =	3 x 10 =
4 x 9 =	9 x 10 =	2 x 7 =
9 x 10 =	5 x 6 =	7 x 8 =

Some of the 8s

You should already know some of the 8 times table because it is part of the 2, 3, 4, 5, 6, 7, and 10 times tables.

1 x 8 = 8	2 x 8 = 16	3 x 8 = 24	4 x 8 = 32
5 x 8 = 40	6 x 8 = 48	7 x 8 = 56	10 x 8 = 80

Find out if you can remember them quickly and correctly.

Cover the 8 times table with some paper so you can't see the numbers.
Write the answers as quickly as you can.

What are three eights? 24 — What are ten eights? 80

What are two eights? 16 — What are four eights? 32

What are six eights? 53 — What are five eights? 40

Write the answers as quickly as you can.

How many eights are the same as 16? 2 — How many eights are the same as 40? 5

How many eights are the same as 32? 4 — How many eights are the same as 24? 3

How many eights are the same as 56? 7 — How many eights are the same as 48? 6

Write the answers as quickly as you can.

Multiply eight by three. 24 — Multiply eight by ten. 80

Multiply eight by two. 16 — Multiply eight by five. 40

Multiply eight by six. 48 — Multiply eight by four. 32

Write the answers as quickly as you can.

6 x 8 = 48 — 2 x 8 = 16 — 10 x 8 = 80

5 x 8 = 40 — 7 x 8 = 56 — 3 x 8 = 24

Write the answers as quickly as you can.
A pizza has eight pieces. John buys six pizzas.
How many pieces does he have? 48

Which number multiplied by 8 gives the answer 56? 7

Answer Section with Parents' Notes

Key Stage 2
Ages 7–11
Times Tables

This 8-page section provides answers to all the activities in the book. This will enable you to mark your child's work or can be used by them if they prefer to do their own marking.

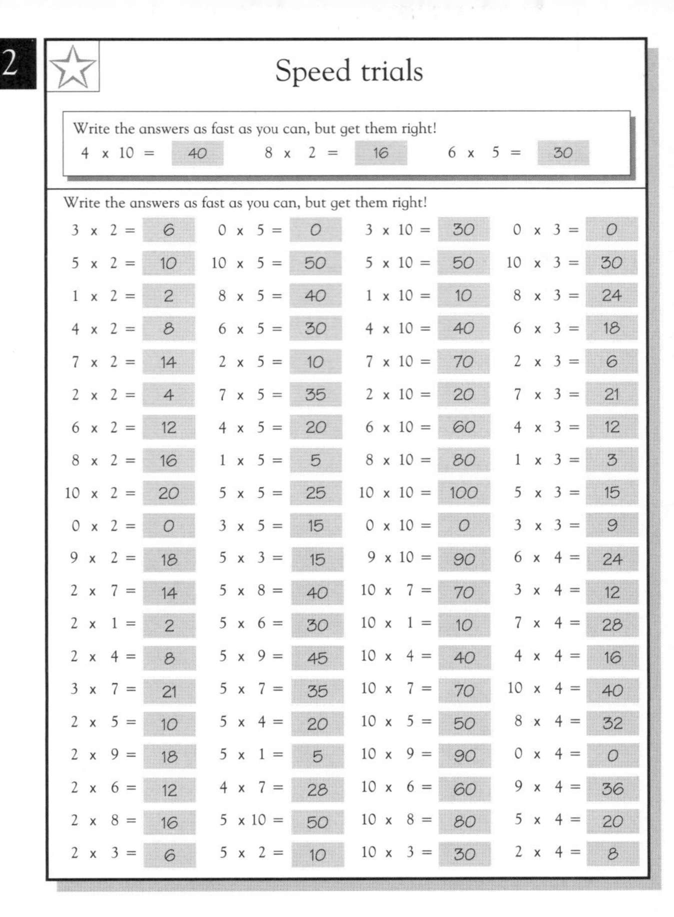

2 Speed trials

Write the answers as fast as you can, but get them right!

4 x 10 = 40 | 8 x 2 = 16 | 6 x 5 = 30

Write the answers as fast as you can, but get them right!

3 x 2 = 6	0 x 5 = 0	3 x 10 = 30	0 x 3 = 0
5 x 2 = 10	10 x 5 = 50	5 x 10 = 50	10 x 3 = 30
1 x 2 = 2	8 x 5 = 40	1 x 10 = 10	8 x 3 = 24
4 x 2 = 8	6 x 5 = 30	4 x 10 = 40	6 x 3 = 18
7 x 2 = 14	2 x 5 = 10	7 x 10 = 70	2 x 3 = 6
2 x 2 = 4	7 x 5 = 35	2 x 10 = 20	7 x 3 = 21
6 x 2 = 12	4 x 5 = 20	6 x 10 = 60	4 x 3 = 12
8 x 2 = 16	1 x 5 = 5	8 x 10 = 80	1 x 3 = 3
10 x 2 = 20	5 x 5 = 25	10 x 10 = 100	5 x 3 = 15
0 x 2 = 0	3 x 5 = 15	0 x 10 = 0	3 x 3 = 9
9 x 2 = 18	5 x 3 = 15	9 x 10 = 90	6 x 4 = 24
2 x 7 = 14	5 x 8 = 40	10 x 7 = 70	3 x 4 = 12
2 x 1 = 2	5 x 6 = 30	10 x 1 = 10	7 x 4 = 28
2 x 4 = 8	5 x 9 = 45	10 x 4 = 40	4 x 4 = 16
3 x 7 = 21	5 x 7 = 35	10 x 7 = 70	10 x 4 = 40
2 x 5 = 10	5 x 4 = 20	10 x 5 = 50	8 x 4 = 32
2 x 9 = 18	5 x 1 = 5	10 x 9 = 90	0 x 4 = 0
2 x 6 = 12	4 x 7 = 28	10 x 6 = 60	9 x 4 = 36
2 x 8 = 16	5 x 10 = 50	10 x 8 = 80	5 x 4 = 20
2 x 3 = 6	5 x 2 = 10	10 x 3 = 30	2 x 4 = 8

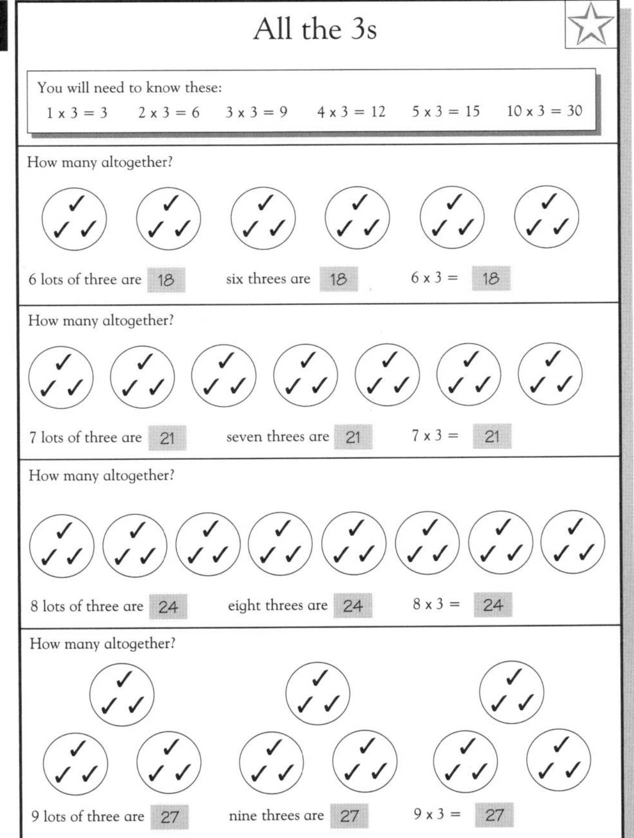

3 All the 3s

You will need to know these:

1 x 3 = 3 | 2 x 3 = 6 | 3 x 3 = 9 | 4 x 3 = 12 | 5 x 3 = 15 | 10 x 3 = 30

How many altogether?

6 lots of three are 18 | six threes are 18 | 6 x 3 = 18

How many altogether?

7 lots of three are 21 | seven threes are 21 | 7 x 3 = 21

How many altogether?

8 lots of three are 24 | eight threes are 24 | 8 x 3 = 24

How many altogether?

9 lots of three are 27 | nine threes are 27 | 9 x 3 = 27

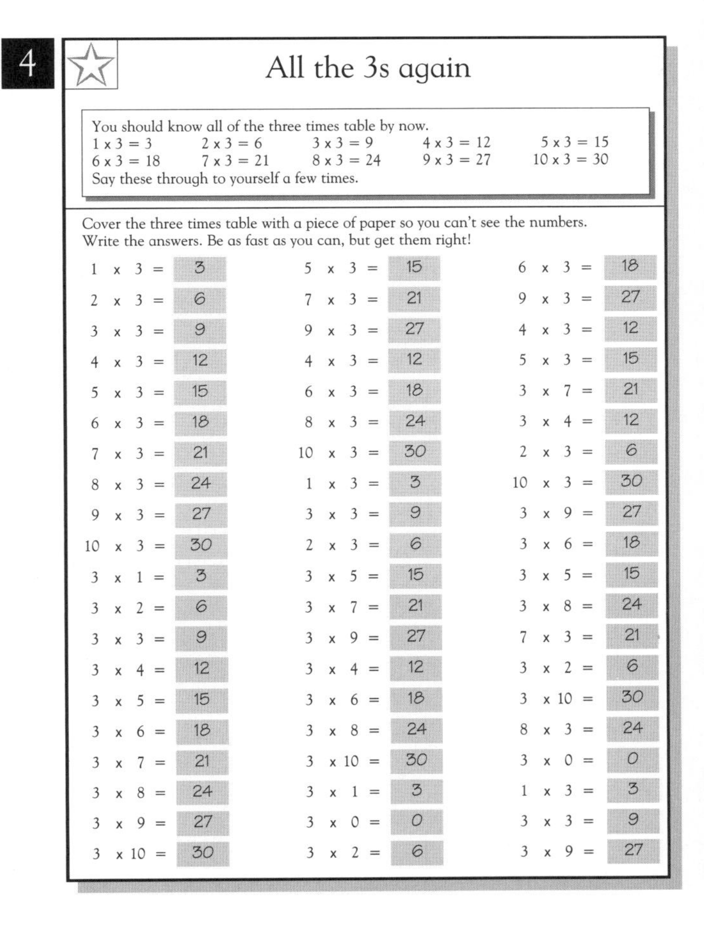

4 All the 3s again

You should know all of the three times table by now.

1 x 3 = 3 | 2 x 3 = 6 | 3 x 3 = 9 | 4 x 3 = 12 | 5 x 3 = 15
6 x 3 = 18 | 7 x 3 = 21 | 8 x 3 = 24 | 9 x 3 = 27 | 10 x 3 = 30

Say these through to yourself a few times.

Cover the three times table with a piece of paper so you can't see the numbers. Write the answers. Be as fast as you can, but get them right!

1 x 3 = 3	5 x 3 = 15	6 x 3 = 18
2 x 3 = 6	7 x 3 = 21	9 x 3 = 27
3 x 3 = 9	9 x 3 = 27	4 x 3 = 12
4 x 3 = 12	4 x 3 = 12	5 x 3 = 15
5 x 3 = 15	6 x 3 = 18	3 x 7 = 21
6 x 3 = 18	8 x 3 = 24	3 x 4 = 12
7 x 3 = 21	10 x 3 = 30	2 x 3 = 6
8 x 3 = 24	1 x 3 = 3	10 x 3 = 30
9 x 3 = 27	3 x 3 = 9	3 x 9 = 27
10 x 3 = 30	2 x 3 = 6	3 x 6 = 18
3 x 1 = 3	3 x 5 = 15	3 x 5 = 15
3 x 2 = 6	3 x 7 = 21	3 x 8 = 24
3 x 3 = 9	3 x 9 = 27	7 x 3 = 21
3 x 4 = 12	3 x 4 = 12	3 x 2 = 6
3 x 5 = 15	3 x 6 = 18	3 x 10 = 30
3 x 6 = 18	3 x 8 = 24	8 x 3 = 24
3 x 7 = 21	3 x 10 = 30	3 x 0 = 0
3 x 8 = 24	3 x 1 = 3	1 x 3 = 3
3 x 9 = 27	3 x 0 = 0	3 x 3 = 9
3 x 10 = 30	3 x 2 = 6	3 x 9 = 27

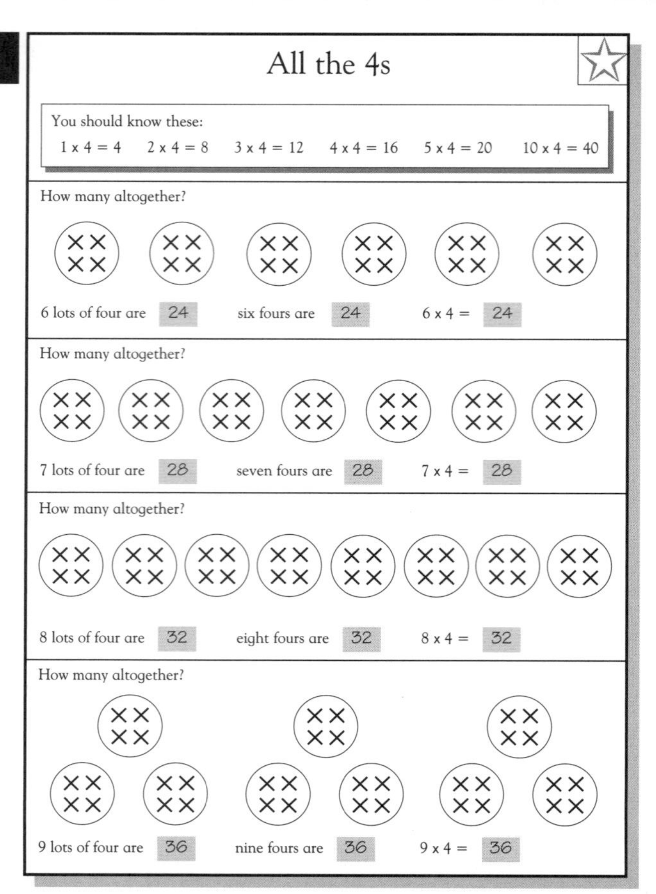

5

All the 4s

You should know these:
1 x 4 = 4   2 x 4 = 8   3 x 4 = 12   4 x 4 = 16   5 x 4 = 20   10 x 4 = 40

How many altogether?

6 lots of four are 24   six fours are 24   6 x 4 = 24

How many altogether?

7 lots of four are 28   seven fours are 28   7 x 4 = 28

How many altogether?

8 lots of four are 32   eight fours are 32   8 x 4 = 32

How many altogether?

9 lots of four are 36   nine fours are 36   9 x 4 = 36

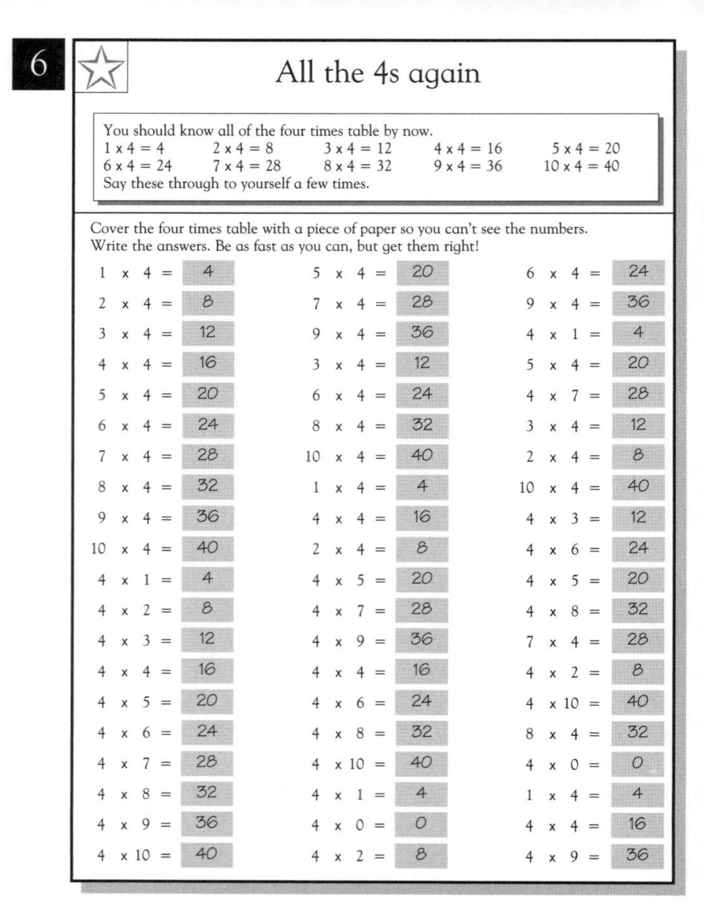

6

All the 4s again

You should know all of the four times table by now.
1 x 4 = 4   2 x 4 = 8   3 x 4 = 12   4 x 4 = 16   5 x 4 = 20
6 x 4 = 24   7 x 4 = 28   8 x 4 = 32   9 x 4 = 36   10 x 4 = 40
Say these through to yourself a few times.

Cover the four times table with a piece of paper so you can't see the numbers.
Write the answers. Be as fast as you can, but get them right!

1 x 4 = 4	5 x 4 = 20	6 x 4 = 24
2 x 4 = 8	7 x 4 = 28	9 x 4 = 36
3 x 4 = 12	9 x 4 = 36	4 x 1 = 4
4 x 4 = 16	3 x 4 = 12	5 x 4 = 20
5 x 4 = 20	6 x 4 = 24	4 x 7 = 28
6 x 4 = 24	8 x 4 = 32	3 x 4 = 12
7 x 4 = 28	10 x 4 = 40	2 x 4 = 8
8 x 4 = 32	1 x 4 = 4	10 x 4 = 40
9 x 4 = 36	4 x 4 = 16	4 x 3 = 12
10 x 4 = 40	2 x 4 = 8	4 x 6 = 24
4 x 1 = 4	4 x 5 = 20	4 x 5 = 20
4 x 2 = 8	4 x 7 = 28	4 x 8 = 32
4 x 3 = 12	4 x 9 = 36	7 x 4 = 28
4 x 4 = 16	4 x 4 = 16	4 x 2 = 8
4 x 5 = 20	4 x 6 = 24	4 x 10 = 40
4 x 6 = 24	4 x 8 = 32	8 x 4 = 32
4 x 7 = 28	4 x 10 = 40	4 x 0 = 0
4 x 8 = 32	4 x 1 = 4	1 x 4 = 4
4 x 9 = 36	4 x 0 = 0	4 x 4 = 16
4 x 10 = 40	4 x 2 = 8	4 x 9 = 36

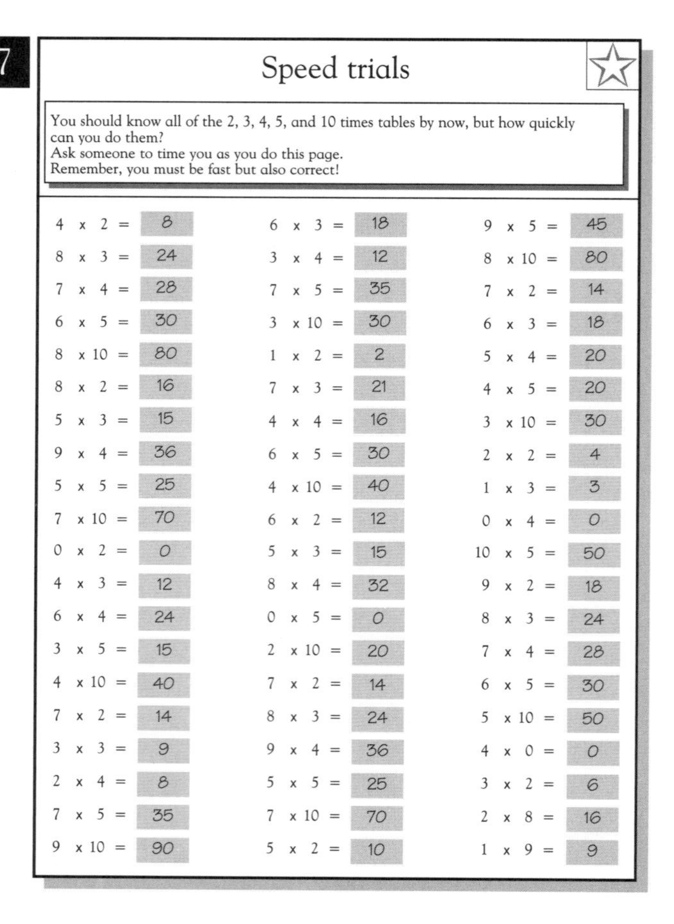

7

Speed trials

You should know all of the 2, 3, 4, 5, and 10 times tables by now, but how quickly can you do them?
Ask someone to time you as you do this page.
Remember, you must be fast but also correct!

4 x 2 = 8	6 x 3 = 18	9 x 5 = 45
8 x 3 = 24	3 x 4 = 12	8 x 10 = 80
7 x 4 = 28	7 x 5 = 35	7 x 2 = 14
6 x 5 = 30	3 x 10 = 30	6 x 3 = 18
8 x 10 = 80	1 x 2 = 2	5 x 4 = 20
8 x 2 = 16	7 x 3 = 21	4 x 5 = 20
5 x 3 = 15	4 x 4 = 16	3 x 10 = 30
9 x 4 = 36	6 x 5 = 30	2 x 2 = 4
5 x 5 = 25	4 x 10 = 40	1 x 3 = 3
7 x 10 = 70	6 x 2 = 12	0 x 4 = 0
0 x 2 = 0	5 x 3 = 15	10 x 5 = 50
4 x 3 = 12	8 x 4 = 32	9 x 2 = 18
6 x 4 = 24	0 x 5 = 0	8 x 3 = 24
3 x 5 = 15	2 x 10 = 20	7 x 4 = 28
4 x 10 = 40	7 x 2 = 14	6 x 5 = 30
7 x 2 = 14	8 x 3 = 24	5 x 10 = 50
3 x 3 = 9	9 x 4 = 36	4 x 0 = 0
2 x 4 = 8	5 x 5 = 25	3 x 2 = 6
7 x 5 = 35	7 x 10 = 70	2 x 8 = 16
9 x 10 = 90	5 x 2 = 10	1 x 9 = 9

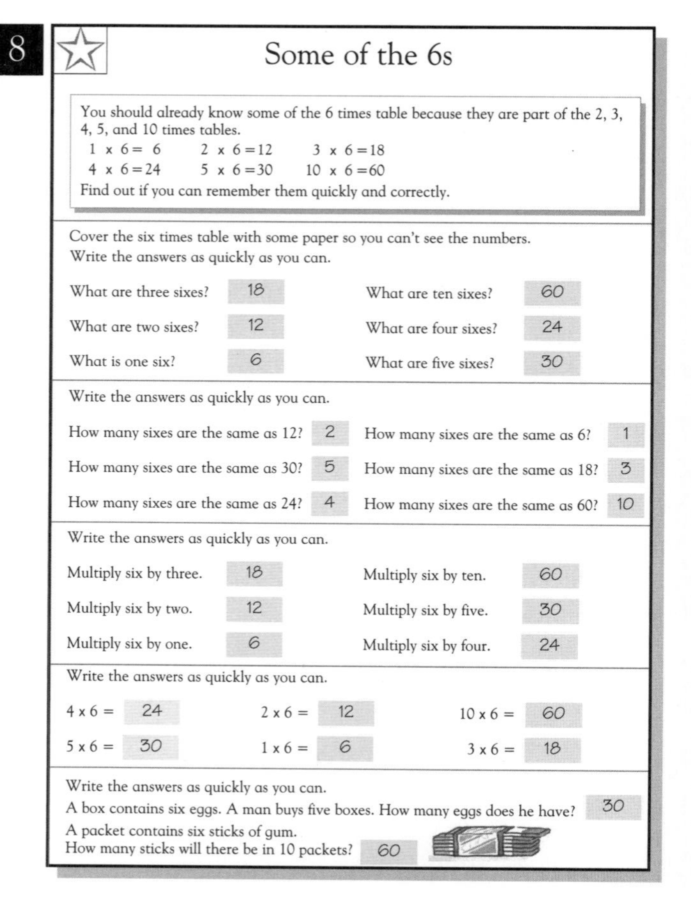

8

Some of the 6s

You should already know some of the 6 times table because they are part of the 2, 3, 4, 5, and 10 times tables.
1 x 6 = 6   2 x 6 = 12   3 x 6 = 18
4 x 6 = 24   5 x 6 = 30   10 x 6 = 60
Find out if you can remember them quickly and correctly.

Cover the six times table with some paper so you can't see the numbers.
Write the answers as quickly as you can.

What are three sixes? 18   What are ten sixes? 60
What are two sixes? 12   What are four sixes? 24
What is one six? 6   What are five sixes? 30

Write the answers as quickly as you can.

How many sixes are the same as 12? 2   How many sixes are the same as 6? 1
How many sixes are the same as 30? 5   How many sixes are the same as 18? 3
How many sixes are the same as 24? 4   How many sixes are the same as 60? 10

Write the answers as quickly as you can.

Multiply six by three. 18   Multiply six by ten. 60
Multiply six by two. 12   Multiply six by five. 30
Multiply six by one. 6   Multiply six by four. 24

Write the answers as quickly as you can.

4 x 6 = 24   2 x 6 = 12   10 x 6 = 60
5 x 6 = 30   1 x 6 = 6   3 x 6 = 18

Write the answers as quickly as you can.
A box contains six eggs. A man buys five boxes. How many eggs does he have? 30
A packet contains six sticks of gum.
How many sticks will there be in 10 packets? 60

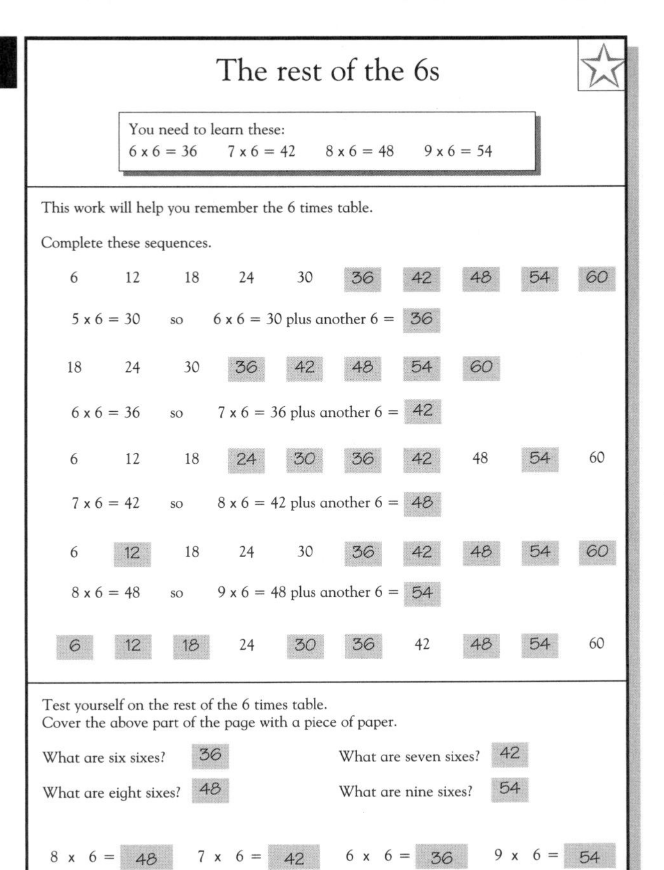

9 The rest of the 6s

You need to learn these:
6 x 6 = 36 7 x 6 = 42 8 x 6 = 48 9 x 6 = 54

This work will help you remember the 6 times table.

Complete these sequences.

6 12 18 24 30 36 42 48 54 60

5 x 6 = 30 so 6 x 6 = 30 plus another 6 = 36

18 24 30 36 42 48 54 60

6 x 6 = 36 so 7 x 6 = 36 plus another 6 = 42

6 12 18 24 30 36 42 48 54 60

7 x 6 = 42 so 8 x 6 = 42 plus another 6 = 48

6 12 18 24 30 36 42 48 54 60

8 x 6 = 48 so 9 x 6 = 48 plus another 6 = 54

6 12 18 24 30 36 42 48 54 60

Test yourself on the rest of the 6 times table.
Cover the above part of the page with a piece of paper.

What are six sixes? 36 What are seven sixes? 42

What are eight sixes? 48 What are nine sixes? 54

8 x 6 = 48 7 x 6 = 42 6 x 6 = 36 9 x 6 = 54

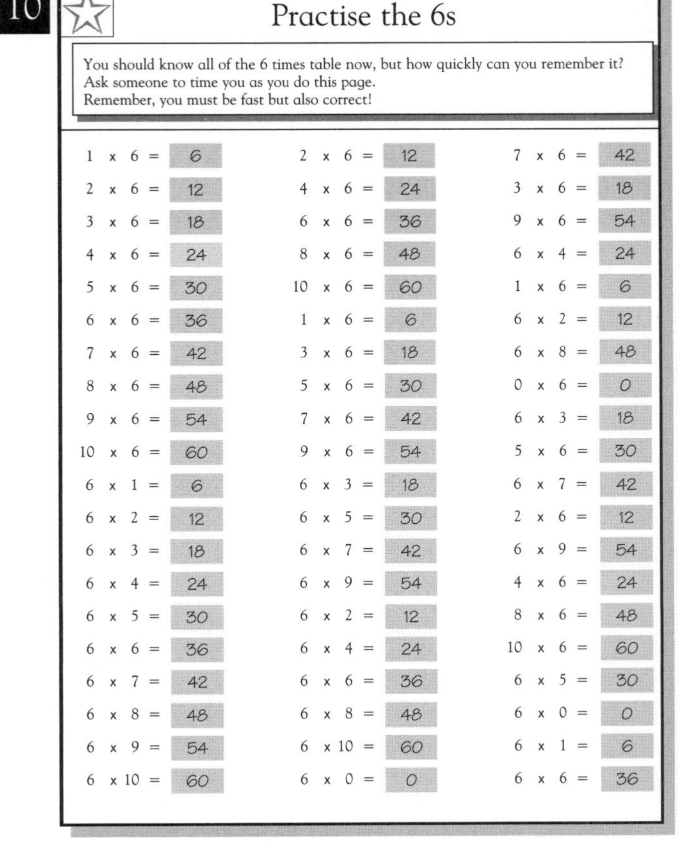

10 Practise the 6s

You should know all of the 6 times table now, but how quickly can you remember it?
Ask someone to time you as you do this page.
Remember, you must be fast but also correct!

1 x 6 = 6	2 x 6 = 12	7 x 6 = 42
2 x 6 = 12	4 x 6 = 24	3 x 6 = 18
3 x 6 = 18	6 x 6 = 36	9 x 6 = 54
4 x 6 = 24	8 x 6 = 48	6 x 4 = 24
5 x 6 = 30	10 x 6 = 60	1 x 6 = 6
6 x 6 = 36	1 x 6 = 6	6 x 2 = 12
7 x 6 = 42	3 x 6 = 18	6 x 8 = 48
8 x 6 = 48	5 x 6 = 30	0 x 6 = 0
9 x 6 = 54	7 x 6 = 42	6 x 3 = 18
10 x 6 = 60	9 x 6 = 54	5 x 6 = 30
6 x 1 = 6	6 x 3 = 18	6 x 7 = 42
6 x 2 = 12	6 x 5 = 30	2 x 6 = 12
6 x 3 = 18	6 x 7 = 42	6 x 9 = 54
6 x 4 = 24	6 x 9 = 54	4 x 6 = 24
6 x 5 = 30	6 x 2 = 12	8 x 6 = 48
6 x 6 = 36	6 x 4 = 24	10 x 6 = 60
6 x 7 = 42	6 x 6 = 36	6 x 5 = 30
6 x 8 = 48	6 x 8 = 48	6 x 0 = 0
6 x 9 = 54	6 x 10 = 60	6 x 1 = 6
6 x 10 = 60	6 x 0 = 0	6 x 6 = 36

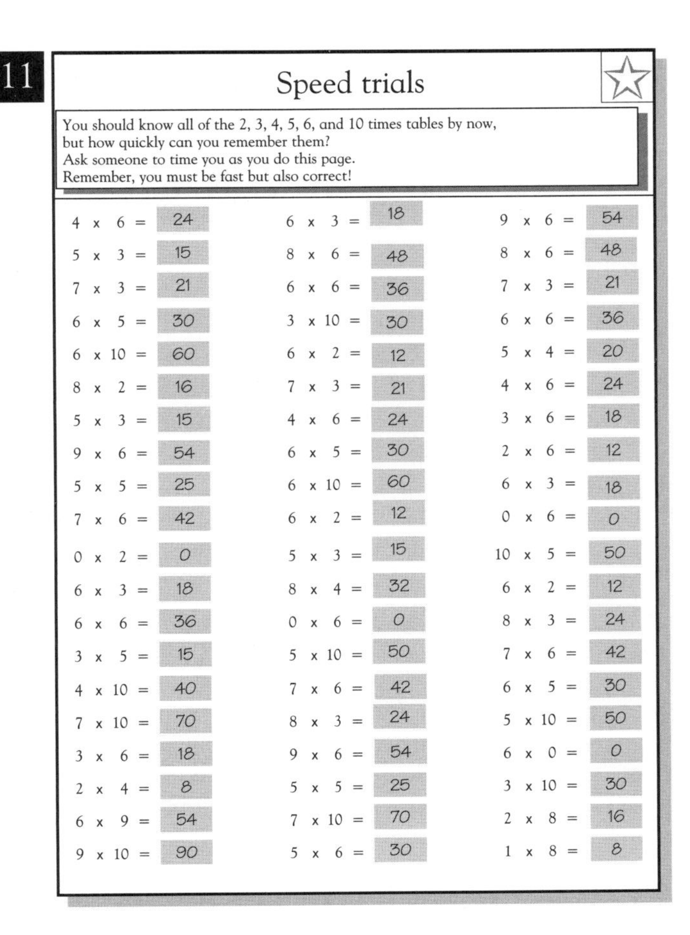

11 Speed trials

You should know all of the 2, 3, 4, 5, 6, and 10 times tables by now,
but how quickly can you remember them?
Ask someone to time you as you do this page.
Remember, you must be fast but also correct!

4 x 6 = 24	6 x 3 = 18	9 x 6 = 54
5 x 3 = 15	8 x 6 = 48	8 x 6 = 48
7 x 3 = 21	6 x 6 = 36	7 x 3 = 21
6 x 5 = 30	3 x 10 = 30	6 x 6 = 36
6 x 10 = 60	6 x 2 = 12	5 x 4 = 20
8 x 2 = 16	7 x 3 = 21	4 x 6 = 24
5 x 3 = 15	4 x 6 = 24	3 x 6 = 18
9 x 6 = 54	6 x 5 = 30	2 x 6 = 12
5 x 5 = 25	6 x 10 = 60	6 x 3 = 18
7 x 6 = 42	6 x 2 = 12	0 x 6 = 0
0 x 2 = 0	5 x 3 = 15	10 x 5 = 50
6 x 3 = 18	8 x 4 = 32	6 x 2 = 12
6 x 6 = 36	0 x 6 = 0	8 x 3 = 24
3 x 5 = 15	5 x 10 = 50	7 x 6 = 42
4 x 10 = 40	7 x 6 = 42	6 x 5 = 30
7 x 10 = 70	8 x 3 = 24	5 x 10 = 50
3 x 6 = 18	9 x 6 = 54	6 x 0 = 0
2 x 4 = 8	5 x 5 = 25	3 x 10 = 30
6 x 9 = 54	7 x 10 = 70	2 x 8 = 16
9 x 10 = 90	5 x 6 = 30	1 x 8 = 8

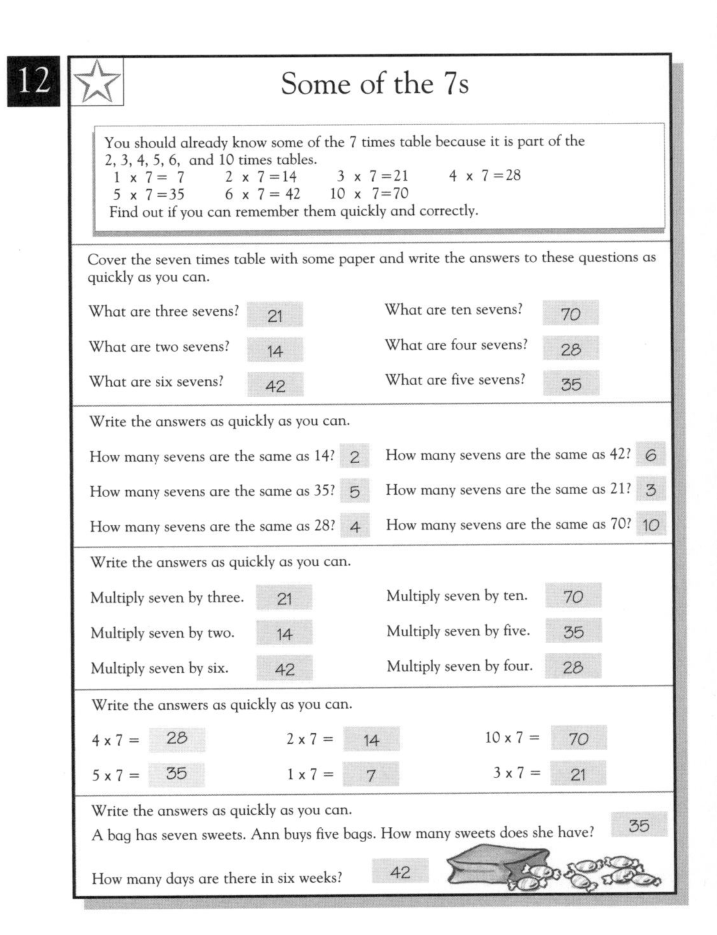

12 Some of the 7s

You should already know some of the 7 times table because it is part of the 2, 3, 4, 5, 6, and 10 times tables.
1 x 7 = 7 2 x 7 = 14 3 x 7 = 21 4 x 7 = 28
5 x 7 = 35 6 x 7 = 42 10 x 7 = 70
Find out if you can remember them quickly and correctly.

Cover the seven times table with some paper and write the answers to these questions as quickly as you can.

What are three sevens? 21 What are ten sevens? 70

What are two sevens? 14 What are four sevens? 28

What are six sevens? 42 What are five sevens? 35

Write the answers as quickly as you can.

How many sevens are the same as 14? 2 How many sevens are the same as 42? 6

How many sevens are the same as 35? 5 How many sevens are the same as 21? 3

How many sevens are the same as 28? 4 How many sevens are the same as 70? 10

Write the answers as quickly as you can.

Multiply seven by three. 21 Multiply seven by ten. 70

Multiply seven by two. 14 Multiply seven by five. 35

Multiply seven by six. 42 Multiply seven by four. 28

Write the answers as quickly as you can.

4 x 7 = 28 2 x 7 = 14 10 x 7 = 70

5 x 7 = 35 1 x 7 = 7 3 x 7 = 21

Write the answers as quickly as you can.
A bag has seven sweets. Ann buys five bags. How many sweets does she have? 35

How many days are there in six weeks? 42

13

The rest of the 7s

You should now know all of the 2, 3, 4, 5, 6, and 10 times tables.
You only need to learn these parts of the seven times table.
7 x 7 = 49   8 x 7 = 56   9 x 7 = 63

This work will help you remember the 7 times table.

Complete these sequences.

7 14 21 28 35 42 49 56 63 70

6 x 7 = 42 so 7 x 7 = 42 plus another 7 = 49

21 28 35 42 49 56 63 70

7 x 7 = 49 so 8 x 7 = 49 plus another 7 = 56

7 14 21 28 35 42 49 56 63 70

8 x 7 = 56 so 9 x 7 = 56 plus another 7 = 63

7 14 21 28 35 42 49 56 63 70

Test yourself on the rest of the 7 times table.
Cover the section above with a piece of paper.

What are seven sevens? 49   What are eight sevens? 56

What are nine sevens? 63   What are ten sevens? 70

8 x 7 = 56   7 x 7 = 49   9 x 7 = 63   10 x 7 = 70

How many days are there in eight weeks? 56

A packet contains seven felt-tips.
How many felt-tips will there be in nine packets? 63

How many sevens make 56? 8

14

Practise the 7s

You should know all of the 7 times table now, but how quickly can you remember it?
Ask someone to time you as you do this page.
Remember, you must be fast but also correct!

1 x 7 = 7	2 x 7 = 14	7 x 6 = 42
2 x 7 = 14	4 x 7 = 28	3 x 7 = 21
3 x 7 = 21	6 x 7 = 42	9 x 7 = 63
4 x 7 = 28	8 x 7 = 56	7 x 4 = 28
5 x 7 = 35	10 x 7 = 70	1 x 7 = 7
6 x 7 = 42	1 x 7 = 7	7 x 2 = 14
7 x 7 = 49	3 x 7 = 21	7 x 8 = 56
8 x 7 = 56	5 x 7 = 35	0 x 7 = 0
9 x 7 = 63	7 x 7 = 49	7 x 3 = 21
10 x 7 = 70	9 x 7 = 63	5 x 7 = 35
7 x 1 = 7	7 x 3 = 21	7 x 7 = 49
7 x 2 = 14	7 x 5 = 35	2 x 7 = 14
7 x 3 = 21	7 x 7 = 49	7 x 9 = 63
7 x 4 = 28	7 x 9 = 63	4 x 7 = 28
7 x 5 = 35	7 x 2 = 14	8 x 7 = 56
7 x 6 = 42	7 x 4 = 28	10 x 7 = 70
7 x 7 = 49	7 x 6 = 42	7 x 5 = 35
7 x 8 = 56	7 x 8 = 56	7 x 0 = 0
7 x 9 = 63	7 x 10 = 70	7 x 1 = 7
7 x 10 = 70	7 x 0 = 0	6 x 7 = 42

84 7x12

15

Speed trials

You should know all of the 2, 3, 4, 5, 6, 7, and 10 times tables by now,
but how quickly can you remember them?
Ask someone to time you as you do this page.
Remember, you must be fast but also correct!

4 x 7 = 28	7 x 3 = 21	9 x 7 = 63
5 x 10 = 50	8 x 7 = 56	7 x 6 = 42
7 x 5 = 35	6 x 6 = 36	8 x 3 = 24
6 x 5 = 30	5 x 10 = 50	6 x 6 = 36
6 x 10 = 60	6 x 3 = 18	7 x 4 = 28
8 x 7 = 56	7 x 5 = 35	4 x 6 = 24
5 x 8 = 40	4 x 6 = 24	3 x 7 = 21
9 x 6 = 54	6 x 5 = 30	2 x 8 = 16
5 x 7 = 35	7 x 10 = 70	7 x 3 = 21
7 x 6 = 42	6 x 7 = 42	0 x 6 = 0
0 x 5 = 0	5 x 7 = 35	10 x 7 = 70
6 x 3 = 18	8 x 4 = 32	6 x 2 = 12
6 x 7 = 42	0 x 7 = 0	8 x 7 = 56
3 x 5 = 15	5 x 8 = 40	7 x 7 = 49
4 x 7 = 28	7 x 6 = 42	6 x 5 = 30
7 x 10 = 70	8 x 3 = 24	5 x 10 = 50
7 x 8 = 56	9 x 6 = 54	7 x 0 = 0
2 x 7 = 14	7 x 7 = 49	3 x 10 = 30
4 x 9 = 36	9 x 10 = 90	2 x 7 = 14
9 x 10 = 90	5 x 6 = 30	7 x 8 = 56

16

Some of the 8s

You should already know some of the 8 times table because it is part of the
2, 3, 4, 5, 6, 7, and 10 times tables.
1 x 8 = 8   2 x 8 = 16   3 x 8 = 24   4 x 8 = 32
5 x 8 = 40   6 x 8 = 48   7 x 8 = 56   10 x 8 = 80
Find out if you can remember them quickly and correctly.

Cover the 8 times table with some paper so you can't see the numbers.
Write the answers as quickly as you can.

What are three eights? 24   What are ten eights? 80

What are two eights? 16   What are four eights? 32

What are six eights? 48   What are five eights? 40

Write the answers as quickly as you can.

How many eights are the same as 16? 2   How many eights are the same as 40? 5

How many eights are the same as 32? 4   How many eights are the same as 24? 3

How many eights are the same as 56? 7   How many eights are the same as 48? 6

Write the answers as quickly as you can.

Multiply eight by three. 24   Multiply eight by ten. 80

Multiply eight by two. 16   Multiply eight by five. 40

Multiply eight by six. 48   Multiply eight by four. 32

Write the answers as quickly as you can.

6 x 8 = 48   2 x 8 = 16   10 x 8 = 80

5 x 8 = 40   7 x 8 = 56   3 x 8 = 24

Write the answers as quickly as you can.
A pizza has eight pieces. John buys six pizzas.
How many pieces does he have? 48

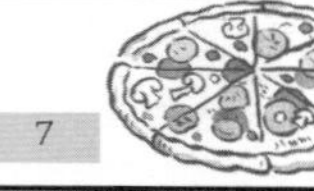

Which number multiplied by 8 gives the answer 56? 7

17

The rest of the 8s

You only need to learn these parts of the eight times table.
8 x 8 = 64   9 x 8 = 72

This work will help you remember the 8 times table.

Complete these sequences.

8 16 24 32 40 48 56 64 72 80

7 x 8 = 56 so 8 x 8 = 56 plus another 8 = 64

24 32 40 48 56 64 72 80

8 x 8 = 64 so 9 x 8 = 64 plus another 8 = 72

8 16 24 32 40 48 56 64 72 80

8 16 24 32 40 48 56 64 72 80

Test yourself on the rest of the 8 times table.
Cover the section above with a piece of paper.

What are seven eights? 56   What are eight eights? 64

What are nine eights? 72   What are eight nines? 72

8 x 8 = 64   9 x 8 = 72   8 x 9 = 72   10 x 8 = 80

What number multiplied by 8 gives the answer 72? 9

A number multiplied by 8 gives the answer 80. What is the number? 10

David puts out building bricks in piles of 8.
How many bricks will there be in 10 piles? 80

What number multiplied by 5 gives the answer 40? 8

How many 8s make 72? 9

18

Practise the 8s

You should know all of the 8 times table now, but how quickly can you remember it?
Ask someone to time you as you do this page.
Remember, you must be fast but also correct!

1 x 8 = 8	2 x 8 = 16	8 x 6 = 48
2 x 8 = 16	4 x 8 = 32	3 x 8 = 24
3 x 8 = 24	6 x 8 = 48	9 x 8 = 72
4 x 8 = 32	8 x 8 = 64	8 x 4 = 32
5 x 8 = 40	10 x 8 = 80	1 x 8 = 8
6 x 8 = 48	1 x 8 = 8	8 x 2 = 16
7 x 8 = 56	3 x 8 = 24	7 x 8 = 56
8 x 8 = 64	5 x 8 = 40	0 x 8 = 0
9 x 8 = 72	7 x 8 = 56	8 x 3 = 24
10 x 8 = 80	9 x 8 = 72	5 x 8 = 40
8 x 1 = 8	8 x 3 = 24	8 x 8 = 64
8 x 2 = 16	8 x 5 = 40	2 x 8 = 16
8 x 3 = 24	8 x 8 = 64	8 x 9 = 72
8 x 4 = 32	8 x 9 = 72	4 x 8 = 32
8 x 5 = 40	8 x 2 = 16	8 x 7 = 56
8 x 6 = 48	8 x 4 = 32	10 x 8 = 80
8 x 7 = 56	8 x 6 = 48	8 x 5 = 40
8 x 8 = 64	8 x 8 = 64	8 x 0 = 0
8 x 9 = 72	8 x 10 = 80	8 x 1 = 8
8 x 10 = 80	8 x 0 = 0	6 x 8 = 48

19

Speed trials

You should know all of the 2, 3, 4, 5, 6, 7, 8, and 10 times tables now,
but how quickly can you remember them?
Ask someone to time you as you do this page.
Remember, you must be fast but also correct!

4 x 8 = 32	7 x 8 = 56	9 x 8 = 72
5 x 10 = 50	8 x 7 = 56	7 x 6 = 42
7 x 8 = 56	6 x 8 = 48	8 x 3 = 24
8 x 5 = 40	8 x 10 = 80	8 x 8 = 64
6 x 10 = 60	6 x 3 = 18	7 x 4 = 28
8 x 7 = 56	7 x 7 = 49	4 x 8 = 32
5 x 8 = 40	5 x 6 = 30	3 x 7 = 21
9 x 8 = 72	6 x 7 = 42	2 x 8 = 16
8 x 8 = 64	7 x 10 = 70	7 x 3 = 21
7 x 6 = 42	6 x 9 = 54	0 x 8 = 0
7 x 5 = 35	5 x 8 = 40	10 x 8 = 80
6 x 8 = 48	8 x 4 = 32	6 x 2 = 12
6 x 7 = 42	0 x 8 = 0	8 x 6 = 48
5 x 7 = 35	5 x 9 = 45	7 x 8 = 56
8 x 4 = 32	7 x 6 = 42	6 x 5 = 30
7 x 10 = 70	8 x 3 = 24	8 x 10 = 80
2 x 8 = 16	9 x 6 = 54	8 x 7 = 56
4 x 7 = 28	8 x 6 = 48	5 x 10 = 50
6 x 9 = 54	9 x 10 = 90	8 x 2 = 16
9 x 10 = 90	6 x 6 = 36	8 x 9 = 72

20

Some of the 9s

You should already know nearly all of the 9 times table because it is part of the 2, 3, 4, 5, 6, 7, 8, and 10 times tables.
1 x 9 = 9   2 x 9 = 18   3 x 9 = 27   4 x 9 = 36   5 x 9 = 45
6 x 9 = 54   7 x 9 = 63   8 x 9 = 72   10 x 9 = 90
Find out if you can remember them quickly and correctly.

Cover the nine times table with some paper so you can't see the numbers.
Write the answers as quickly as you can.

What are three nines? 27   What are ten nines? 90

What are two nines? 18   What are four nines? 36

What are six nines? 54   What are five nines? 45

What are seven nines? 63   What are eight nines? 72

Write the answers as quickly as you can.

How many nines are the same as 18? 2   How many nines are the same as 54? 6

How many nines are the same as 90? 10   How many nines are the same as 27? 3

How many nines are the same as 72? 8   How many nines are the same as 36? 4

How many nines are the same as 45? 5   How many nines are the same as 63? 7

Write the answers as quickly as you can.

Multiply nine by seven. 63   Multiply nine by ten. 90

Multiply nine by two. 18   Multiply nine by five. 45

Multiply nine by six. 54   Multiply nine by four. 36

Multiply nine by three. 27   Multiply nine by eight. 72

Write the answers as quickly as you can.

6 x 9 = 54	2 x 9 = 18	10 x 9 = 90
5 x 9 = 45	3 x 9 = 27	8 x 9 = 72
0 x 9 = 0	7 x 9 = 63	4 x 9 = 36

21 The rest of the 9s

You only need to learn this part of the nine times table.
9 x 9 = 81

This work will help you remember the 9 times table.

Complete these sequences.

9	18	27	36	45	54	63	72	81	90

8 x 9 = 72 so 9 x 9 = 72 plus another 9 = 81

27	36	45	54	63	72	81	90		
9	18	27	36	45	54	63	72	81	90
9	18	27	36	45	54	63	72	81	90

Look for a pattern in the nine times table.

1 x 9 = 09
2 x 9 = 18
3 x 9 = 27
4 x 9 = 36
5 x 9 = 45
6 x 9 = 54
7 x 9 = 63
8 x 9 = 72
9 x 9 = 81
10 x 9 = 90

Write down any patterns you can see. There is more than one!

The digits in every answer add up to give 9.
If we take the first number of every answer, from top to bottom, we get 0, 1, 2, 3, 4, 5, 6, 7, 8, 9
If we take the second number of every answer, from bottom to top, we get 0, 1, 2, 3, 4, 5, 6, 7, 8, 9, again.
The first and the last answers are opposites (09 and 90), the second and the second last answers are opposites (18 and 81) and so on.

Children may notice a number of patterns; it does not matter how they express these. Another pattern is to deduct 1 from the number being multiplied; this gives the first digit of the answer. Then deduct this first digit from 9, thus getting the second digit of the answer.

22 Practise the 9s

You should know all of the 9 times table now, but how quickly can you remember it?
Ask someone to time you as you do this page.
Remember, you must be fast but also correct!

1 x 9 = 9	2 x 9 = 18	9 x 6 = 54
2 x 9 = 18	4 x 9 = 36	3 x 9 = 27
3 x 9 = 27	6 x 9 = 54	9 x 9 = 81
4 x 9 = 36	9 x 7 = 63	9 x 4 = 36
5 x 9 = 45	10 x 9 = 90	1 x 9 = 9
6 x 9 = 54	1 x 9 = 9	9 x 2 = 18
7 x 9 = 63	3 x 9 = 27	7 x 9 = 63
8 x 9 = 72	5 x 9 = 45	0 x 9 = 0
9 x 9 = 81	7 x 9 = 63	9 x 3 = 27
10 x 9 = 90	9 x 9 = 81	5 x 9 = 45
9 x 1 = 9	9 x 3 = 27	9 x 9 = 81
9 x 2 = 18	9 x 5 = 45	2 x 9 = 18
9 x 3 = 27	0 x 9 = 0	8 x 9 = 72
9 x 4 = 36	9 x 1 = 9	4 x 9 = 36
9 x 5 = 45	9 x 2 = 18	9 x 7 = 63
9 x 6 = 54	9 x 4 = 36	10 x 9 = 90
9 x 7 = 63	9 x 6 = 54	9 x 5 = 45
9 x 8 = 72	9 x 8 = 72	9 x 0 = 0
9 x 9 = 81	9 x 10 = 90	9 x 1 = 9
9 x 10 = 90	9 x 0 = 0	6 x 9 = 54

23 Speed trials

You should know all of the times tables by now, but how quickly can you remember them?
Ask someone to time you as you do this page.
Remember, you must be fast but also correct!

6 x 8 = 48	4 x 8 = 32	8 x 10 = 80
9 x 10 = 90	9 x 8 = 72	7 x 9 = 63
5 x 8 = 40	6 x 6 = 36	8 x 5 = 40
7 x 5 = 35	8 x 9 = 72	8 x 7 = 56
6 x 4 = 24	6 x 4 = 24	7 x 4 = 28
8 x 8 = 64	7 x 3 = 21	4 x 9 = 36
5 x 10 = 50	5 x 9 = 45	6 x 7 = 42
9 x 8 = 72	6 x 8 = 48	4 x 6 = 24
8 x 3 = 24	7 x 7 = 49	7 x 8 = 56
7 x 7 = 49	6 x 9 = 54	6 x 9 = 54
9 x 5 = 45	7 x 8 = 56	10 x 8 = 80
4 x 8 = 32	8 x 4 = 32	6 x 5 = 30
6 x 7 = 42	0 x 9 = 0	8 x 8 = 64
2 x 9 = 18	10 x 10 = 100	7 x 6 = 42
8 x 4 = 32	7 x 6 = 42	6 x 8 = 48
7 x 10 = 70	8 x 7 = 56	9 x 10 = 90
2 x 8 = 16	9 x 6 = 54	8 x 4 = 32
4 x 7 = 28	8 x 6 = 48	7 x 10 = 70
6 x 9 = 54	9 x 9 = 81	5 x 8 = 40
9 x 9 = 81	6 x 7 = 42	8 x 9 = 72

24 Times tables for division

Knowing the times tables can also help with division sums.
Look at these examples.
3 x 6 = 18 which means that 18 ÷ 3 = 6 and that 18 ÷ 6 = 3
4 x 5 = 20 which means that 20 ÷ 4 = 5 and that 20 ÷ 5 = 4
9 x 3 = 27 which means that 27 ÷ 3 = 9 and that 27 ÷ 9 = 3

Use your knowledge of the times tables to work out these division sums.

3 x 8 = 24 which means that 24 ÷ 3 = 8 and that 24 ÷ 8 = 3
4 x 7 = 28 which means that 28 ÷ 4 = 7 and that 28 ÷ 7 = 4
3 x 5 = 15 which means that 15 ÷ 3 = 5 and that 15 ÷ 5 = 3
4 x 3 = 12 which means that 12 ÷ 3 = 4 and that 12 ÷ 4= 3
3 x 10 = 30 which means that 30 ÷ 3 = 10 and that 30 ÷ 10 = 3
4 x 8 = 32 which means that 32 ÷ 4 = 8 and that 32 ÷ 8 = 4
3 x 9 = 27 which means that 27 ÷ 3 = 9 and that 27 ÷ 9 = 3
4 x 10 = 40 which means that 40 ÷ 4 = 10 and that 40 ÷ 10 = 4

These division sums help practise the 3 and 4 times tables.

20 ÷ 4 = 5	15 ÷ 3 = 5	16 ÷ 4 = 4
24 ÷ 4 = 6	27 ÷ 3 = 9	30 ÷ 3 = 10
12 ÷ 3 = 4	18 ÷ 3 = 6	28 ÷ 4 = 7
24 ÷ 3 = 8	32 ÷ 4 = 8	21 ÷ 3 = 7

How many fours in 36?	9	Divide 27 by three.	9
Divide 28 by 4.	7	How many threes in 21?	7
How many fives in 35?	7	Divide 40 by 5.	8
Divide 15 by 3.	5	How many eights in 48?	6

25 Times tables for division

This page will help you remember times tables by dividing by 2, 3, 4, 5, and 10.

20 ÷ 5 = 4 18 ÷ 3 = 6 60 ÷ 10 = 6

Complete the sums.

40 ÷ 10 = 4	14 ÷ 2 = 7	32 ÷ 4 = 8
25 ÷ 5 = 5	21 ÷ 3 = 7	16 ÷ 4 = 4
24 ÷ 4 = 6	28 ÷ 4 = 7	12 ÷ 2 = 6
45 ÷ 5 = 9	35 ÷ 5 = 7	12 ÷ 3 = 4
10 ÷ 2 = 5	40 ÷ 10 = 4	12 ÷ 4 = 3
20 ÷ 10 = 2	20 ÷ 2 = 10	20 ÷ 2 = 10
6 ÷ 2 = 3	18 ÷ 3 = 6	20 ÷ 4 = 5
24 ÷ 3 = 8	32 ÷ 4 = 8	20 ÷ 5 = 4
30 ÷ 5 = 6	40 ÷ 5 = 8	20 ÷ 10 = 2
30 ÷ 10 = 3	80 ÷ 10 = 8	18 ÷ 2 = 9
40 ÷ 5 = 8	6 ÷ 2 = 3	18 ÷ 3 = 6
21 ÷ 3 = 7	15 ÷ 3 = 5	15 ÷ 3 = 5
14 ÷ 2 = 7	24 ÷ 4 = 6	15 ÷ 5 = 3
27 ÷ 3 = 9	15 ÷ 5 = 3	24 ÷ 3 = 8
90 ÷ 10 = 9	10 ÷ 10 = 1	24 ÷ 4 = 6
15 ÷ 5 = 3	4 ÷ 2 = 2	50 ÷ 5 = 10
15 ÷ 3 = 5	9 ÷ 3 = 3	50 ÷ 10 = 5
20 ÷ 5 = 4	4 ÷ 4 = 1	30 ÷ 3 = 10
20 ÷ 4 = 5	10 ÷ 5 = 2	30 ÷ 5 = 6
16 ÷ 2 = 8	100 ÷ 10 = 10	30 ÷ 10 = 3

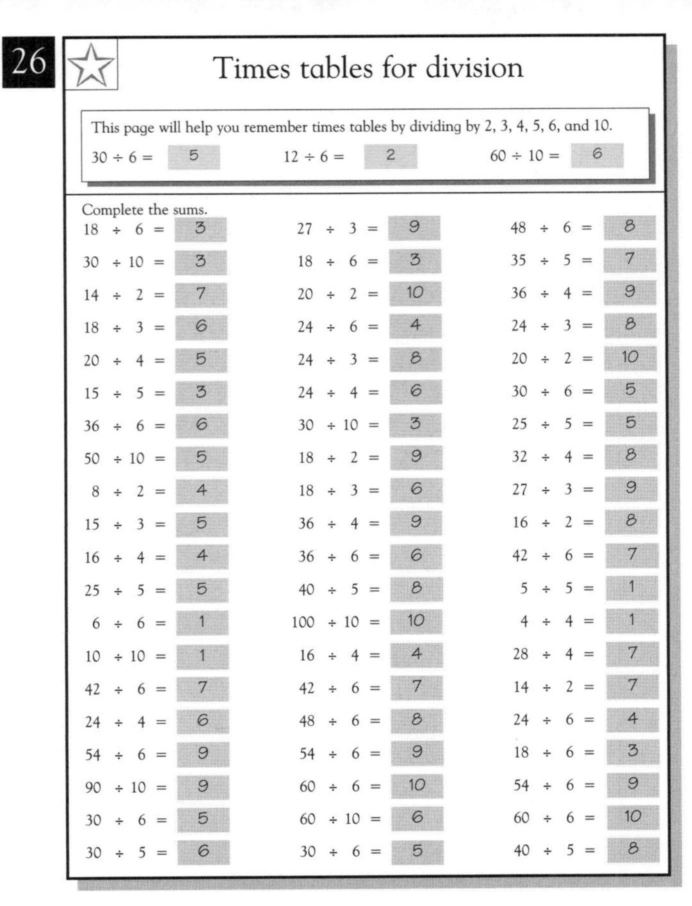

26 Times tables for division

This page will help you remember times tables by dividing by 2, 3, 4, 5, 6, and 10.

30 ÷ 6 = 5 12 ÷ 6 = 2 60 ÷ 10 = 6

Complete the sums.

18 ÷ 6 = 3	27 ÷ 3 = 9	48 ÷ 6 = 8
30 ÷ 10 = 3	18 ÷ 6 = 3	35 ÷ 5 = 7
14 ÷ 2 = 7	20 ÷ 2 = 10	36 ÷ 4 = 9
18 ÷ 3 = 6	24 ÷ 6 = 4	24 ÷ 3 = 8
20 ÷ 4 = 5	24 ÷ 3 = 8	20 ÷ 2 = 10
15 ÷ 5 = 3	24 ÷ 4 = 6	30 ÷ 6 = 5
36 ÷ 6 = 6	30 ÷ 10 = 3	25 ÷ 5 = 5
50 ÷ 10 = 5	18 ÷ 2 = 9	32 ÷ 4 = 8
8 ÷ 2 = 4	18 ÷ 3 = 6	27 ÷ 3 = 9
15 ÷ 3 = 5	36 ÷ 4 = 9	16 ÷ 2 = 8
16 ÷ 4 = 4	36 ÷ 6 = 6	42 ÷ 6 = 7
25 ÷ 5 = 5	40 ÷ 5 = 8	5 ÷ 5 = 1
6 ÷ 6 = 1	100 ÷ 10 = 10	4 ÷ 4 = 1
10 ÷ 10 = 1	16 ÷ 4 = 4	28 ÷ 4 = 7
42 ÷ 6 = 7	42 ÷ 6 = 7	14 ÷ 2 = 7
24 ÷ 4 = 6	48 ÷ 6 = 8	24 ÷ 6 = 4
54 ÷ 6 = 9	54 ÷ 6 = 9	18 ÷ 6 = 3
90 ÷ 10 = 9	60 ÷ 6 = 10	54 ÷ 6 = 9
30 ÷ 6 = 5	60 ÷ 10 = 6	60 ÷ 6 = 10
30 ÷ 5 = 6	30 ÷ 6 = 5	40 ÷ 5 = 8

27 Times tables for division

This page will help you remember times tables by dividing by 2, 3, 4, 5, 6, and 7.

14 ÷ 7 = 2 28 ÷ 7 = 4 70 ÷ 7 = 10

Complete the sums.

21 ÷ 7 = 3	18 ÷ 6 = 3	49 ÷ 7 = 7
35 ÷ 5 = 7	28 ÷ 7 = 4	35 ÷ 5 = 7
14 ÷ 2 = 7	24 ÷ 6 = 4	35 ÷ 7 = 5
18 ÷ 6 = 3	24 ÷ 4 = 6	24 ÷ 6 = 4
20 ÷ 5 = 4	24 ÷ 2 = 12	21 ÷ 3 = 7
15 ÷ 3 = 5	21 ÷ 7 = 3	70 ÷ 7 = 10
36 ÷ 4 = 9	42 ÷ 7 = 6	42 ÷ 7 = 6
56 ÷ 7 = 8	18 ÷ 3 = 6	32 ÷ 4 = 8
18 ÷ 2 = 9	49 ÷ 7 = 7	27 ÷ 3 = 9
15 ÷ 5 = 3	36 ÷ 4 = 9	16 ÷ 4 = 4
49 ÷ 7 = 7	36 ÷ 6 = 6	42 ÷ 6 = 7
25 ÷ 5 = 5	40 ÷ 5 = 8	45 ÷ 5 = 9
7 ÷ 7 = 1	70 ÷ 7 = 10	40 ÷ 4 = 10
63 ÷ 7 = 9	24 ÷ 3 = 8	24 ÷ 3 = 8
42 ÷ 7 = 6	42 ÷ 6 = 7	14 ÷ 7 = 2
24 ÷ 6 = 4	48 ÷ 6 = 8	24 ÷ 4 = 6
54 ÷ 6 = 9	54 ÷ 6 = 9	18 ÷ 3 = 6
28 ÷ 7 = 4	60 ÷ 6 = 10	56 ÷ 7 = 8
30 ÷ 6 = 5	63 ÷ 7 = 9	63 ÷ 7 = 9
35 ÷ 7 = 5	25 ÷ 5 = 5	48 ÷ 6 = 8

28 Times tables for division

This page will help you remember times tables by dividing by 2, 3, 4, 5, 6, 7, 8, and 9.

16 ÷ 8 = 2 35 ÷ 7 = 5 27 ÷ 9 = 3

42 ÷ 6 = 7	81 ÷ 9 = 9	56 ÷ 7 = 8
32 ÷ 8 = 4	56 ÷ 7 = 8	45 ÷ 5 = 9
14 ÷ 7 = 2	63 ÷ 7 = 9	35 ÷ 7 = 5
18 ÷ 9 = 2	24 ÷ 8 = 3	18 ÷ 9 = 2
63 ÷ 7 = 9	27 ÷ 9 = 3	21 ÷ 3 = 7
72 ÷ 9 = 8	72 ÷ 9 = 8	28 ÷ 7 = 4
72 ÷ 8 = 9	42 ÷ 6 = 7	64 ÷ 8 = 8
56 ÷ 7 = 8	27 ÷ 3 = 9	32 ÷ 8 = 4
18 ÷ 6 = 3	14 ÷ 7 = 2	27 ÷ 9 = 3
81 ÷ 9 = 9	36 ÷ 4 = 9	16 ÷ 8 = 2
63 ÷ 9 = 7	36 ÷ 6 = 6	42 ÷ 6 = 7
45 ÷ 5 = 9	48 ÷ 8 = 6	45 ÷ 9 = 5
54 ÷ 9 = 6	21 ÷ 7 = 3	40 ÷ 4 = 10
70 ÷ 7 = 10	24 ÷ 3 = 8	24 ÷ 8 = 3
42 ÷ 7 = 6	40 ÷ 8 = 5	63 ÷ 7 = 9
30 ÷ 5 = 6	45 ÷ 9 = 5	24 ÷ 6 = 4
54 ÷ 6 = 9	54 ÷ 6 = 9	18 ÷ 6 = 3
56 ÷ 8 = 7	42 ÷ 7 = 6	56 ÷ 8 = 7
30 ÷ 6 = 5	63 ÷ 9 = 7	63 ÷ 9 = 7
35 ÷ 7 = 5	50 ÷ 5 = 10	48 ÷ 8 = 6

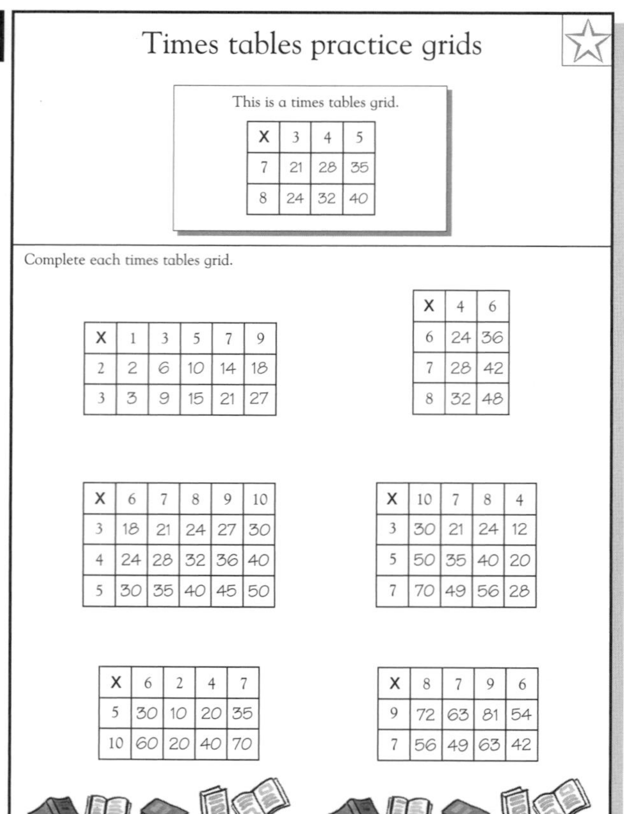

29

Times tables practice grids

This is a times tables grid.

X	3	4	5
7	21	28	35
8	24	32	40

Complete each times tables grid.

X	1	3	5	7	9
2	2	6	10	14	18
3	3	9	15	21	27

X	4	6
6	24	36
7	28	42
8	32	48

X	6	7	8	9	10
3	18	21	24	27	30
4	24	28	32	36	40
5	30	35	40	45	50

X	10	7	8	4
3	30	21	24	12
5	50	35	40	20
7	70	49	56	28

X	6	2	4	7
5	30	10	20	35
10	60	20	40	70

X	8	7	9	6
9	72	63	81	54
7	56	49	63	42

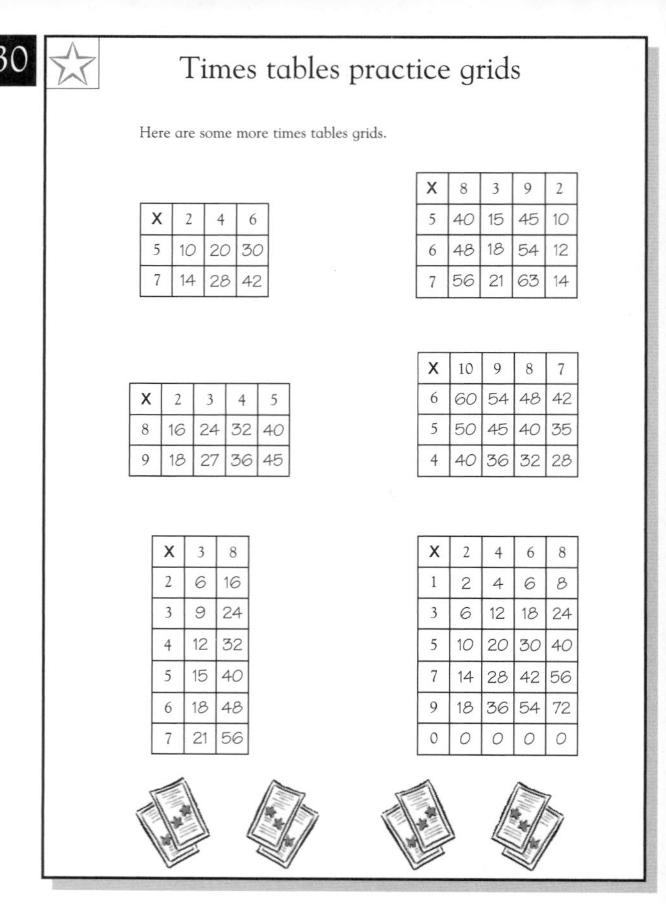

30

Times tables practice grids

Here are some more times tables grids.

X	2	4	6
5	10	20	30
7	14	28	42

X	8	3	9	2
5	40	15	45	10
6	48	18	54	12
7	56	21	63	14

X	2	3	4	5
8	16	24	32	40
9	18	27	36	45

X	10	9	8	7
6	60	54	48	42
5	50	45	40	35
4	40	36	32	28

X	3	8
2	6	16
3	9	24
4	12	32
5	15	40
6	18	48
7	21	56

X	2	4	6	8
1	2	4	6	8
3	6	12	18	24
5	10	20	30	40
7	14	28	42	56
9	18	36	54	72
0	0	0	0	0

31

Times tables practice grids

Here are some more times tables grids.

X	8	9
7	56	63
8	64	72

X	9	8	7	6	5	4
9	81	72	63	54	45	36
8	72	64	56	48	40	32
7	63	56	49	42	35	28

X	2	5	9
4	8	20	36
7	14	35	63
8	16	40	72

X	2	3	4	5	7
4	8	12	16	20	28
6	12	18	24	30	42
8	16	24	32	40	56

X	3	5	7
2	6	10	14
8	24	40	56
6	18	30	42
0	0	0	0
4	12	20	28
7	21	35	49

X	8	7	9	6
7	56	49	63	42
9	72	63	81	54
0	0	0	0	0
10	80	70	90	60
8	64	56	72	48
6	48	42	54	36

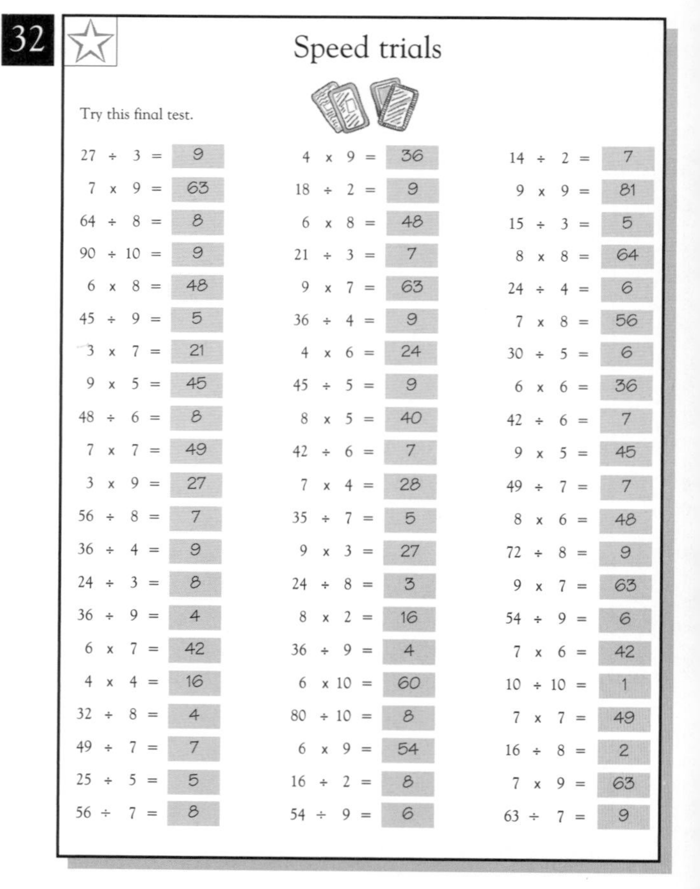

32

Speed trials

Try this final test.

27 ÷ 3 = 9
7 x 9 = 63
64 ÷ 8 = 8
90 ÷ 10 = 9
6 x 8 = 48
45 ÷ 9 = 5
3 x 7 = 21
9 x 5 = 45
48 ÷ 6 = 8
7 x 7 = 49
3 x 9 = 27
56 ÷ 8 = 7
36 ÷ 4 = 9
24 ÷ 3 = 8
36 ÷ 9 = 4
6 x 7 = 42
4 x 4 = 16
32 ÷ 8 = 4
49 ÷ 7 = 7
25 ÷ 5 = 5
56 ÷ 7 = 8

4 x 9 = 36
18 ÷ 2 = 9
6 x 8 = 48
21 ÷ 3 = 7
9 x 7 = 63
36 ÷ 4 = 9
4 x 6 = 24
45 ÷ 5 = 9
8 x 5 = 40
42 ÷ 6 = 7
7 x 4 = 28
35 ÷ 7 = 5
9 x 3 = 27
24 ÷ 8 = 3
8 x 2 = 16
36 ÷ 9 = 4
6 x 10 = 60
80 ÷ 10 = 8
6 x 9 = 54
16 ÷ 2 = 8
54 ÷ 9 = 6

14 ÷ 2 = 7
9 x 9 = 81
15 ÷ 3 = 5
8 x 8 = 64
24 ÷ 4 = 6
7 x 8 = 56
30 ÷ 5 = 6
6 x 6 = 36
42 ÷ 6 = 7
9 x 5 = 45
49 ÷ 7 = 7
8 x 6 = 48
72 ÷ 8 = 9
9 x 7 = 63
54 ÷ 9 = 6
7 x 6 = 42
10 ÷ 10 = 1
7 x 7 = 49
16 ÷ 8 = 2
7 x 9 = 63
63 ÷ 7 = 9

The rest of the 8s

You only need to learn these parts of the eight times table.
8 x 8 = 64 9 x 8 = 72

This work will help you remember the 8 times table.

Complete these sequences.

8 16 24 32 40 48 56 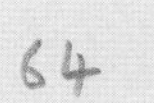 64  72 80

7 x 8 = 56 so 8 x 8 = 56 plus another 8 = 64

24 32 40 48 56 64 72 80

8 x 8 = 64 so 9 x 8 = 64 plus another 8 = 72

8 16 24 32 40 48 56 64 72 80

8 16 24 32 40 48 56 64 72 80

Test yourself on the rest of the 8 times table.
Cover the section above with a piece of paper.

What are seven eights? 56

What are eight eights? 64

What are nine eights? 72

What are eight nines? 72

8 x 8 = 64 9 x 8 = 72 8 x 9 = 72 10 x 8 = 80

What number multiplied by 8 gives the answer 72? 9

A number multiplied by 8 gives the answer 80. What is the number? 10

David puts out building bricks in piles of 8.
How many bricks will there be in 10 piles? 80

What number multiplied by 5 gives the answer 40? 8

How many 8s make 72? 9

Practise the 8s

You should know all of the 8 times table now, but how quickly can you remember it?
Ask someone to time you as you do this page.
Remember, you must be fast but also correct!

1 x 8 = 8
2 x 8 = 16
3 x 8 = 24
4 x 8 = 32
5 x 8 = 40
6 x 8 = 48
7 x 8 = 56
8 x 8 = 64
9 x 8 = 72
10 x 8 = 80
8 x 1 = 8
8 x 2 = 16
8 x 3 = 24
8 x 4 = 32
8 x 5 = 40
8 x 6 = 48
8 x 7 = 56
8 x 8 = 64
8 x 9 = 72
8 x 10 = 80

2 x 8 = 16
4 x 8 = 32
6 x 8 = 48
8 x 8 = 64
10 x 8 = 80
1 x 8 = 8
3 x 8 = 24
5 x 8 = 40
7 x 8 = 56
9 x 8 = 72
8 x 3 = 24
8 x 5 = 40
8 x 8 = 64
8 x 9 = 72
8 x 2 = 16
8 x 4 = 32
8 x 6 = 48
8 x 8 = 64
8 x 10 = 80
8 x 0 = 0

8 x 6 = 48
3 x 8 = 24
9 x 8 = 72
8 x 4 = 32
1 x 8 = 8
8 x 2 = 16
7 x 8 = 56
0 x 8 = 0
8 x 3 = 27
5 x 8 = 40
8 x 8 = 64
2 x 8 = 16
8 x 9 = 72
4 x 8 = 32
8 x 7 = 56
10 x 8 = 80
8 x 5 = 40
8 x 0 = 0
8 x 1 = 8
6 x 8 = 48

Speed trials

You should know all of the 2, 3, 4, 5, 6, 7, 8, and 10 times tables now, but how quickly can you remember them?
Ask someone to time you as you do this page.
Remember, you must be fast but also correct!

4 x 8 =	32	7 x 8 =	56	9 x 8 =	72
5 x 10 =	50	8 x 7 =	56	7 x 6 =	
7 x 8 =	56	6 x 8 =	48	8 x 3 =	24
8 x 5 =	40	8 x 10 =	80	8 x 8 =	64
6 x 10 =	60	6 x 3 =		7 x 4 =	
8 x 7 =	56	7 x 7 =		4 x 8 =	32
5 x 8 =	40	5 x 6 =	30	3 x 7 =	
9 x 8 =	22	6 x 7 =		2 x 8 =	16
8 x 8 =	64	7 x 10 =	70	7 x 3 =	
7 x 6 =		6 x 9 =		0 x 8 =	0
7 x 5 =	35	5 x 8 =	40	10 x 8 =	80
6 x 8 =	48	8 x 4 =	32	6 x 2 =	12
6 x 7 =	56	0 x 8 =	0	8 x 6 =	48
5 x 7 =	35	5 x 9 =	45	7 x 8 =	56
8 x 4 =	32	7 x 6 =		6 x 5 =	30
7 x 10 =	70	8 x 3 =	24	8 x 10 =	80
2 x 8 =	16	9 x 6 =		8 x 7 =	56
4 x 7 =		8 x 6 =	48	5 x 10 =	50
6 x 9 =		9 x 10 =	90	8 x 2 =	16
9 x 10 =	90	6 x 6 =		8 x 9 =	72

Some of the 9s

X10 then take away 1 or the No.

You should already know nearly all of the 9 times table because it is part of the 2, 3, 4, 5, 6, 7, 8, and 10 times tables.

1 x 9 = 9	2 x 9 = 18	3 x 9 = 27	4 x 9 = 36	5 x 9 = 45
6 x 9 = 54	7 x 9 = 63	8 x 9 = 72	10 x 9 = 90	

Find out if you can remember them quickly and correctly.

Cover the nine times table with some paper so you can't see the numbers.
Write the answers as quickly as you can.

What are three nines?	27	What are ten nines?	90
What are two nines?	18	What are four nines?	36
What are six nines?	54	What are five nines?	45
What are seven nines?	63	What are eight nines?	72

Write the answers as quickly as you can.

How many nines are the same as 18?	2	How many nines are the same as 54?	6
How many nines are the same as 90?	10	How many nines are the same as 27?	3
How many nines are the same as 72?	8	How many nines are the same as 36?	4
How many nines are the same as 45?	5	How many nines are the same as 63?	7

Write the answers as quickly as you can.

Multiply nine by seven.	63	Multiply nine by ten.	90
Multiply nine by two.	18	Multiply nine by five.	45
Multiply nine by six.	54	Multiply nine by four.	36
Multiply nine by three.	27	Multiply nine by eight.	72

Write the answers as quickly as you can.

6 x 9 =	54	2 x 9 =	18	10 x 9 =	90
5 x 9 =	45	3 x 9 =	27	8 x 9 =	72
0 x 9 =	9	7 x 9 =	64	4 x 9 =	36

The rest of the 9s

You only need to learn this part of the nine times table.
9 x 9 = 81

This work will help you remember the 9 times table.

Complete these sequences.

9	18	27	36	45	54	63	72	81	90

8 x 9 = 72 so 9 x 9 = 72 plus another 9 = 81

27	36	45	54	63	72	81	90		
9	18	27	36	45	54	63	72	81	90
9	18	27	36	45	54	63	72	81	90

Look for a pattern in the nine times table.

1	x	9	=	09
2	x	9	=	18
3	x	9	=	27
4	x	9	=	36
5	x	9	=	45
6	x	9	=	54
7	x	9	=	63
8	x	9	=	72
9	x	9	=	81
10	x	9	=	90

Write down any patterns you can see. There is more than one!

Practise the 9s

You should know all of the 9 times table now, but how quickly can you remember it?
Ask someone to time you as you do this page.
Remember, you must be fast but also correct!

1 x 9 =	9	2 x 9 =	18	9 x 6 =	54
2 x 9 =	18	4 x 9 =	36	3 x 9 =	27
3 x 9 =	27	6 x 9 =	54	9 x 9 =	81
4 x 9 =	36	9 x 7 =	63	9 x 4 =	36
5 x 9 =	45	10 x 9 =	90	1 x 9 =	9
6 x 9 =	54	1 x 9 =	9	9 x 2 =	18
7 x 9 =	63	3 x 9 =	27	7 x 9 =	63
8 x 9 =	72	5 x 9 =	45	0 x 9 =	0
9 x 9 =	81	7 x 9 =	63	9 x 3 =	27
10 x 9 =	90	9 x 9 =	81	5 x 9 =	45
9 x 1 =	9	9 x 3 =	27	9 x 9 =	81
9 x 2 =	18	9 x 5 =	45	2 x 9 =	18
9 x 3 =	27	0 x 9 =	0	8 x 9 =	72
9 x 4 =	36	9 x 1 =	9	4 x 9 =	36
9 x 5 =	45	9 x 2 =	18	9 x 7 =	63
9 x 6 =	54	9 x 4 =	36	10 x 9 =	90
9 x 7 =	63	9 x 6 =	54	9 x 5 =	45
9 x 8 =	72	9 x 8 =	72	9 x 0 =	0
9 x 9 =	81	9 x 10 =	90	9 x 1 =	9
9 x 10 =	90	9 x 0 =	0	6 x 9 =	54

Speed trials

You should know all of the times tables by now, but how quickly can you remember them?
Ask someone to time you as you do this page.
Remember, you must be fast but also correct!

6 x 8 =
9 x 10 =
5 x 8 =
7 x 5 =
6 x 4 =
8 x 8 =
5 x 10 =
9 x 8 =
8 x 3 =
7 x 7 =
9 x 5 =
4 x 8 =
6 x 7 =
2 x 9 =
8 x 4 =
7 x 10 =
2 x 8 =
4 x 7 =
6 x 9 =
9 x 9 =

4 x 8 =
9 x 8 =
6 x 6 =
8 x 9 =
6 x 4 =
7 x 3 =
5 x 9 =
6 x 8 =
7 x 7 =
6 x 9 =
7 x 8 =
8 x 4 =
0 x 9 =
10 x 10 =
7 x 6 =
8 x 7 =
9 x 6 =
8 x 6 =
9 x 9 =
6 x 7 =

8 x 10 =
7 x 9 =
8 x 5 =
8 x 7 =
7 x 4 =
4 x 9 =
6 x 7 =
4 x 6 =
7 x 8 =
6 x 9 =
10 x 8 =
6 x 5 =
8 x 8 =
7 x 6 =
6 x 8 =
9 x 10 =
8 x 4 =
7 x 10 =
5 x 8 =
8 x 9 =

Times tables for division

Knowing the times tables can also help with division sums.
Look at these examples.
$3 \times 6 = 18$ which means that $18 \div 3 = 6$ and that $18 \div 6 = 3$
$4 \times 5 = 20$ which means that $20 \div 4 = 5$ and that $20 \div 5 = 4$
$9 \times 3 = 27$ which means that $27 \div 3 = 9$ and that $27 \div 9 = 3$

Use your knowledge of the times tables to work out these division sums.

$3 \times 8 = 24$ which means that $24 \div 3 =$ ☐ and that $24 \div 8 =$ ☐

$4 \times 7 = 28$ which means that $28 \div 4 =$ ☐ and that $28 \div 7 =$ ☐

$3 \times 5 = 15$ which means that $15 \div 3 =$ ☐ and that $15 \div 5 =$ ☐

$4 \times 3 = 12$ which means that $12 \div 3 =$ ☐ and that $12 \div 4 =$ ☐

$3 \times 10 = 30$ which means that $30 \div 3 =$ ☐ and that $30 \div 10 =$ ☐

$4 \times 8 = 32$ which means that $32 \div 4 =$ ☐ and that $32 \div 8 =$ ☐

$3 \times 9 = 27$ which means that $27 \div 3 =$ ☐ and that $27 \div 9 =$ ☐

$4 \times 10 = 40$ which means that $40 \div 4 =$ ☐ and that $40 \div 10 =$ ☐

These division sums help practise the 3 and 4 times tables.

$20 \div 4 =$ ☐ $15 \div 3 =$ ☐ $16 \div 4 =$ ☐

$24 \div 4 =$ ☐ $27 \div 3 =$ ☐ $30 \div 3 =$ ☐

$12 \div 3 =$ ☐ $18 \div 3 =$ ☐ $28 \div 4 =$ ☐

$24 \div 3 =$ ☐ $32 \div 4 =$ ☐ $21 \div 3 =$ ☐

How many fours in 36? ☐

Divide 28 by 4. ☐

How many fives in 35? ☐

Divide 15 by 3. ☐

Divide 27 by three. ☐

How many threes in 21? ☐

Divide 40 by 5. ☐

How many eights in 48? ☐

Times tables for division

This page will help you remember times tables by dividing by 2, 3, 4, 5, and 10.

$20 \div 5 = 4$ $18 \div 3 = 6$ $60 \div 10 = 6$

Complete the sums.

$40 \div 10 =$ ___
$25 \div 5 =$ ___
$24 \div 4 =$ ___
$45 \div 5 =$ ___
$10 \div 2 =$ ___
$20 \div 10 =$ ___
$6 \div 2 =$ ___
$24 \div 3 =$ ___
$30 \div 5 =$ ___
$30 \div 10 =$ ___
$40 \div 5 =$ ___
$21 \div 3 =$ ___
$14 \div 2 =$ ___
$27 \div 3 =$ ___
$90 \div 10 =$ ___
$15 \div 5 =$ ___
$15 \div 3 =$ ___
$20 \div 5 =$ ___
$20 \div 4 =$ ___
$16 \div 2 =$ ___

$14 \div 2 =$ ___
$21 \div 3 =$ ___
$28 \div 4 =$ ___
$35 \div 5 =$ ___
$40 \div 10 =$ ___
$20 \div 2 =$ ___
$18 \div 3 =$ ___
$32 \div 4 =$ ___
$40 \div 5 =$ ___
$80 \div 10 =$ ___
$6 \div 2 =$ ___
$15 \div 3 =$ ___
$24 \div 4 =$ ___
$15 \div 5 =$ ___
$10 \div 10 =$ ___
$4 \div 2 =$ ___
$9 \div 3 =$ ___
$4 \div 4 =$ ___
$10 \div 5 =$ ___
$100 \div 10 =$ ___

$32 \div 4 =$ ___
$16 \div 4 =$ ___
$12 \div 2 =$ ___
$12 \div 3 =$ ___
$12 \div 4 =$ ___
$20 \div 2 =$ ___
$20 \div 4 =$ ___
$20 \div 5 =$ ___
$20 \div 10 =$ ___
$18 \div 2 =$ ___
$18 \div 3 =$ ___
$15 \div 3 =$ ___
$15 \div 5 =$ ___
$24 \div 3 =$ ___
$24 \div 4 =$ ___
$50 \div 5 =$ ___
$50 \div 10 =$ ___
$30 \div 3 =$ ___
$30 \div 5 =$ ___
$30 \div 10 =$ ___

Times tables for division

This page will help you remember times tables by dividing by 2, 3, 4, 5, 6, and 10.

30 ÷ 6 = 5 12 ÷ 6 = 2 60 ÷ 10 = 6

Complete the sums.

18 ÷ 6 =	27 ÷ 3 =	48 ÷ 6 =
30 ÷ 10 =	18 ÷ 6 =	35 ÷ 5 =
14 ÷ 2 =	20 ÷ 2 =	36 ÷ 4 =
18 ÷ 3 =	24 ÷ 6 =	24 ÷ 3 =
20 ÷ 4 =	24 ÷ 3 =	20 ÷ 2 =
15 ÷ 5 =	24 ÷ 4 =	30 ÷ 6 =
36 ÷ 6 =	30 ÷ 10 =	25 ÷ 5 =
50 ÷ 10 =	18 ÷ 2 =	32 ÷ 4 =
8 ÷ 2 =	18 ÷ 3 =	27 ÷ 3 =
15 ÷ 3 =	36 ÷ 4 =	16 ÷ 2 =
16 ÷ 4 =	36 ÷ 6 =	42 ÷ 6 =
25 ÷ 5 =	40 ÷ 5 =	5 ÷ 5 =
6 ÷ 6 =	100 ÷ 10 =	4 ÷ 4 =
10 ÷ 10 =	16 ÷ 4 =	28 ÷ 4 =
42 ÷ 6 =	42 ÷ 6 =	14 ÷ 2 =
24 ÷ 4 =	48 ÷ 6 =	24 ÷ 6 =
54 ÷ 6 =	54 ÷ 6 =	18 ÷ 6 =
90 ÷ 10 =	60 ÷ 6 =	54 ÷ 6 =
30 ÷ 6 =	60 ÷ 10 =	60 ÷ 6 =
30 ÷ 5 =	30 ÷ 6 =	40 ÷ 5 =

Times tables for division

This page will help you remember times tables by dividing by 2, 3, 4, 5, 6, and 7.

14 ÷ 7 = 2   28 ÷ 7 = 4   70 ÷ 7 = 10

Complete the sums.

21 ÷ 7 =	18 ÷ 6 =	49 ÷ 7 =
35 ÷ 5 =	28 ÷ 7 =	35 ÷ 5 =
14 ÷ 2 =	24 ÷ 6 =	35 ÷ 7 =
18 ÷ 6 =	24 ÷ 4 =	24 ÷ 6 =
20 ÷ 5 =	24 ÷ 2 =	21 ÷ 3 =
15 ÷ 3 =	21 ÷ 7 =	70 ÷ 7 =
36 ÷ 4 =	42 ÷ 7 =	42 ÷ 7 =
56 ÷ 7 =	18 ÷ 3 =	32 ÷ 4 =
18 ÷ 2 =	49 ÷ 7 =	27 ÷ 3 =
15 ÷ 5 =	36 ÷ 4 =	16 ÷ 4 =
49 ÷ 7 =	36 ÷ 6 =	42 ÷ 6 =
25 ÷ 5 =	40 ÷ 5 =	45 ÷ 5 =
7 ÷ 7 =	70 ÷ 7 =	40 ÷ 4 =
63 ÷ 7 =	24 ÷ 3 =	24 ÷ 3 =
42 ÷ 7 =	42 ÷ 6 =	14 ÷ 7 =
24 ÷ 6 =	48 ÷ 6 =	24 ÷ 4 =
54 ÷ 6 =	54 ÷ 6 =	18 ÷ 3 =
28 ÷ 7 =	60 ÷ 6 =	56 ÷ 7 =
30 ÷ 6 =	63 ÷ 7 =	63 ÷ 7 =
35 ÷ 7 =	25 ÷ 5 =	48 ÷ 6 =

Times tables for division

This page will help you remember times tables by dividing by 2, 3, 4, 5, 6, 7, 8, and 9.

16 ÷ 8 = 2   35 ÷ 7 = 5   27 ÷ 9 = 3

42 ÷ 6 =	81 ÷ 9 =	56 ÷ 7 =
32 ÷ 8 =	56 ÷ 7 =	45 ÷ 5 =
14 ÷ 7 =	63 ÷ 7 =	35 ÷ 7 =
18 ÷ 9 =	24 ÷ 8 =	18 ÷ 9 =
63 ÷ 7 =	27 ÷ 9 =	21 ÷ 3 =
72 ÷ 9 =	72 ÷ 9 =	28 ÷ 7 =
72 ÷ 8 =	42 ÷ 6 =	64 ÷ 8 =
56 ÷ 7 =	27 ÷ 3 =	32 ÷ 8 =
18 ÷ 6 =	14 ÷ 7 =	27 ÷ 9 =
81 ÷ 9 =	36 ÷ 4 =	16 ÷ 8 =
63 ÷ 9 =	36 ÷ 6 =	42 ÷ 6 =
45 ÷ 5 =	48 ÷ 8 =	45 ÷ 9 =
54 ÷ 9 =	21 ÷ 7 =	40 ÷ 4 =
70 ÷ 7 =	24 ÷ 3 =	24 ÷ 8 =
42 ÷ 7 =	40 ÷ 8 =	63 ÷ 7 =
30 ÷ 5 =	45 ÷ 9 =	24 ÷ 6 =
54 ÷ 6 =	54 ÷ 6 =	18 ÷ 6 =
56 ÷ 8 =	42 ÷ 7 =	56 ÷ 8 =
30 ÷ 6 =	63 ÷ 9 =	63 ÷ 9 =
35 ÷ 7 =	50 ÷ 5 =	48 ÷ 8 =

Times tables practice grids

This is a times tables grid.

X	3	4	5
7	21	28	35
8	24	32	40

Complete each times tables grid.

X	1	3	5	7	9
2					
3					

X	4	6
6		
7		
8		

X	6	7	8	9	10
3					
4					
5					

X	10	7	8	4
3				
5				
7				

X	6	2	4	7
5				
10				

X	8	7	9	6
9				
7				

Times tables practice grids

Here are some more times tables grids.

X	2	4	6
5			
7			

X	8	3	9	2
5				
6				
7				

X	2	3	4	5
8				
9				

X	10	9	8	7
6				
5				
4				

X	3	8
2		
3		
4		
5		
6		
7		

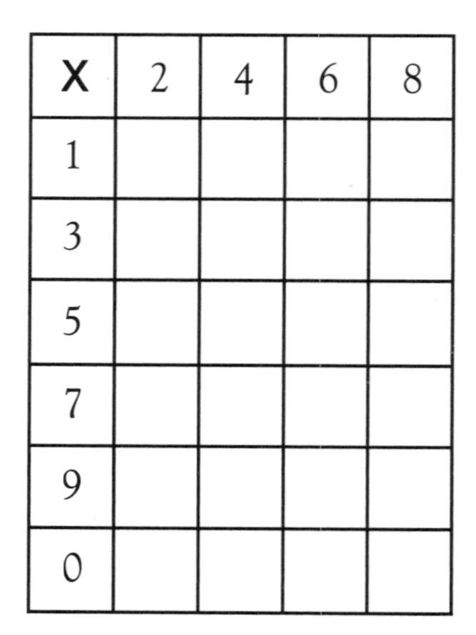

X	2	4	6	8
1				
3				
5				
7				
9				
0				

Times tables practice grids

Here are some more times tables grids.

X	8	9
7		
8		

X	9	8	7	6	5	4
9						
8						
7						

X	2	5	9
4			
7			
8			

X	2	3	4	5	7
4					
6					
8					

X	3	5	7
2			
8			
6			
0			
4			
7			

X	8	7	9	6
7				
9				
0				
10				
8				
6				

Speed trials

Try this final test.

27 ÷ 3 =
7 x 9 =
64 ÷ 8 =
90 ÷ 10 =
6 x 8 =
45 ÷ 9 =
3 x 7 =
9 x 5 =
48 ÷ 6 =
7 x 7 =
3 x 9 =
56 ÷ 8 =
36 ÷ 4 =
24 ÷ 3 =
36 ÷ 9 =
6 x 7 =
4 x 4 =
32 ÷ 8 =
49 ÷ 7 =
25 ÷ 5 =
56 ÷ 7 =

4 x 9 =
18 ÷ 2 =
6 x 8 =
21 ÷ 3 =
9 x 7 =
36 ÷ 4 =
4 x 6 =
45 ÷ 5 =
8 x 5 =
42 ÷ 6 =
7 x 4 =
35 ÷ 7 =
9 x 3 =
24 ÷ 8 =
8 x 2 =
36 ÷ 9 =
6 x 10 =
80 ÷ 10 =
6 x 9 =
16 ÷ 2 =
54 ÷ 9 =

14 ÷ 2 =
9 x 9 =
15 ÷ 3 =
8 x 8 =
24 ÷ 4 =
7 x 8 =
30 ÷ 5 =
6 x 6 =
42 ÷ 6 =
9 x 5 =
49 ÷ 7 =
8 x 6 =
72 ÷ 8 =
9 x 7 =
54 ÷ 9 =
7 x 6 =
10 ÷ 10 =
7 x 7 =
16 ÷ 8 =
7 x 9 =
63 ÷ 7 =